W9-BRT-558
3 1274 00290 1845

Cómo contactar con tus Guías espirituales

HAL ZINA BENNETT
con la colaboración de SUSAN J. SPARROW

CÓMO CONTACTAR CON TUS GUÍAS ESPIRITUALES

Relaciónese con sus compañeros y mentores para su viaje interior

Colección Nueva Consciencia
CÓMO CONTACTAR CON TUS GUÍAS ESPIRITUALES
Hal Zina Bennett & Susan J. Sparrow

1ª edición: octubre de 2007

Título original: *Spirit Guides*

Traducción: *José M. Pomares*
Maquetación: *Natàlia Campillo*
Diseño de portada: *María Benavides*

Edita: Ediciones Obelisco S.L.
Pere IV, 78 (Edif. Pedro IV) 3ª planta 5ª puerta.
08005 Barcelona-España
Tel. 93 309 85 25 - Fax 93 309 85 23

Paracas 59 Buenos Aires
C1275AFA República Argentina
Tel. (541 -14) 305 06 33
Fax (541 -14) 304 78 20
E-mail: obelisco@edicionesobelisco.com

ISBN: 978-84-9777-417-8
Depósito Legal: B–43.315–2007

Printed in Spain

Impreso en España en los talleres gráficos de Romanyà/Valls S.A.
Verdaguer, 1 – 08786 Capellades (Barcelona)

Dedicado a ese tranquilo e indagador espíritu
que hay dentro de cada uno de nosotros,
buscando constantemente una verdad más grande.

AGRADECIMIENTOS

Sucede a veces que, tras acabar de escribir un libro, lo envolvemos, lo enviamos por correo y nos olvidamos de él hasta que un buen día nos llegan los libros impresos o empiezan a aparecer en las librerías. Y, sin embargo, ningún libro sería posible sin los esfuerzos de mucha gente que trabaja tras las bambalinas: correctores de pruebas, diseñadores gráficos, impresores, gente que trabaja en las oficinas dedicada a supervisar la impresión y los envíos, los distribuidores de libros, los libreros y finalmente los propios lectores. Ningún libro puede alcanzar éxito sin la contribución de este gran colectivo de personas que intervienen en todo el proceso.

Me parece una pena que los autores raras veces se reúnan con esas personas que hacen posible el libro o incluso que no conozcan sus nombres. Y al empezar a dar las gracias a la gente a la que he conocido durante la producción de un libro, invariablemente me dejo a algunos en el tintero. Así que, sin citar sus nombres, quiero expresar mi más sincero agradecimiento a todos ellos y dejar constancia de lo muchísimo que aprecio su trabajo.

Hay muchos maestros que me han ayudado a abrir un poco los ojos. Estoy seguro de que muchos de mis maestros seguirán asegurando que he sido un alumno lento y tozudo. Quizá un par de ellos me señalen con un cierto nivel de orgullo. También los hay que ni siquiera supieron que fueron mis maestros o que quizá creyeron ser nuestros adversarios. A todos ellos les doy las gracias.

Como les sucede a la mayoría de las personas que enseñan, estoy convencido de que nuestros mejores maestros son los propios alumnos. Así que expreso aquí una deuda especial de gratitud para con todos aquellos que han participado en nuestros talleres a lo largo de los años.

Pero, por encima de todo, deseo expresar mi agradecimiento a mi compañera y esposa Susan J. Sparrow, que ha sostenido para mí una luz que me ha iluminado durante todos los años que llevamos juntos, recordándome el camino cada vez que me aparto de él, amándome cuando me olvido de amarme y, finalmente, pero no por ello menos importante, ocupándose de pagar las facturas. Ella es mi inspiración, mi crítica y el amor de mi vida.

Finalmente, ninguna lista de agradecimientos quedaría completa sin mencionar a nuestros hijos, nietos, padres, hermanos, amigos, primos, parientes y los demás miembros de la familia. Juntos, somos como recordatorios del conjunto más grande en el que todos somos participantes.

HAL ZINA BENNETT
Blue Lakes (California), 2001

INTRODUCCIÓN

Durante los últimos años, he recibido numerosas peticiones que me demandaban un libro de lectura fácil, con instrucciones claras para trabajar con los guías espirituales, un libro que contuviera historias que ilustraran cómo estos guías pueden sernos útiles en la vida cotidiana. Eso resultó ser para mí un desafío mucho mayor de lo esperado. No quería ser repetitivo, pero si quería decir la verdad acerca de cómo se había desarrollado esta práctica para mí, la única forma de hacerlo con integridad consistía en volver a contar algunas de las experiencias que ya había publicado en libros o ensayos anteriores. En busca de una respuesta a este dilema, decidí consultar con algunos de mis lectores, con personas que estaban familiarizadas con mi trabajo.

Encontré así un enorme apoyo para la idea de incluir esas historias que autentificaban verdaderos y grandes avances en mi propio uso de los guías espirituales, aun cuando ya las hubiese presentado y analizado en otras partes. De hecho, detecté un acuerdo generalizado en el sentido de que ningún libro que pudiera escribir sobre el tema quedaría completo si no contenía esas anécdotas. La gente deseaba un libro que presentara el tema de una forma muy accesible, personal, sencilla, directa y real. Así pues, he seguido el consejo de mis lectores lo mejor que he podido y con el ánimo y el apoyo de Susan.

Lo que encontrará en este libro, junto con instrucciones fáciles de seguir para entrar en contacto con sus propios guías, son las anécdotas de los tres momentos clave que hicieron que los guías espirituales fuesen tan importantes para mí. Las he intercalado con información nueva sobre la importancia de estos guías en nuestras vidas y acerca de por qué se detecta ahora un renovado interés por ellos.

SABIDURÍA ANTIGUA EN LA ERA ELECTRÓNICA

Nuestro interés por los guías espirituales quizá sea tan antiguo como la propia humanidad. A lo largo de toda la historia registrada y prácticamente en todos los continentes, hallamos ejemplos de cómo las personas han trabajado con sus guías para que estos les ayudaran en sus vidas cotidianas. Ellos siempre nos han permitido, principalmente, el acceso a los ámbitos espiritual e imaginario. Nos han ayudado a cambiar nuestras percepciones del mundo de nuestros sentidos, para conectar con la «realidad invisible» de la emoción y del espíritu.

En la actualidad hay hombres y mujeres de negocios, científicos, artistas, maestros, vendedores, médicos, profesores universitarios, psicoterapeutas, ministros, sacerdotes, rabinos y profesionales de la salud que se vuelven con regularidad hacia sus guías espirituales en busca de ayuda. Muchas de las personas que han aprendido a utilizar a los guías interiores por primera vez han observado que, tras haber sabido de ellos, se dieron cuenta de que, en realidad, habían accedido de forma inconsciente a esta fuente de conocimiento durante la mayor parte de sus vidas. En la mayoría de los casos lo habían hecho automáticamente, sin ser conscientes de cómo hacerlo a voluntad. No obstante, tras aprender sobre los guías espirituales, ahora son capaces de acceder a ellos a elección, en lugar de hacerlo únicamente sin tener conciencia previa de ello.

Una de las percepciones que obtenemos después de aprender sobre los guías espirituales es que las fronteras del sí mismo se extienden mucho más allá de nuestro medio ambiente inmediato. Empezamos a experimentar entonces nuevas percepciones del sí mismo. Nos damos cuenta de que estamos espiritualmente vinculados con personas diseminadas por medio mundo, así como con aquellas otras que vivieron hace cientos de años. Empezamos a comprender que surgimos y formamos parte de una sola conciencia que no se halla limitada ni por el tiempo ni por el espacio. Nos vemos tan afectados por los acontecimientos ocurridos en el distante pasado como por los que suceden en el presente inmediato. Y nuestros guías espirituales pueden facilitarnos incluso un acceso parcial al futuro.

Para la mayoría de nosotros, las percepciones proporcionadas por los guías espirituales pueden parecernos muy distantes de nuestras vidas cotidianas, en las que concentramos la mayor parte de nuestra atención en aquellos acontecimientos que suceden directamente delante de nosotros. Los psicólogos y los maestros espirituales nos advierten, sin embargo, que no somos libres para tomar decisiones verdaderamente informadas y viables, a menos que estemos en contacto con aquellas verdades espirituales y psicológicas que afectan profundamente a nuestras vidas.

En toda la sociedad occidental estamos experimentando un gran cambio por lo que se refiere a nuestra comprensión del sí mismo. Empezamos a comprender que el cuerpo humano no es, simplemente, una masa de protoplasma cuyos movimientos están dirigidos por el cerebro, sino que es más bien un ser de energía, un centro de vibración, cuyas ondas irradian mucho más allá del medio ambiente inmediato, a través del tiempo y del espacio. Es más, esas ondas responden e interactúan con una variedad infinita de otras ondas.

Nos damos cuenta así de que nuestras formas humanas son manifestaciones singulares de un ser de energía mucho mayor que nosotros, llámese Luz universal, Fuerza vital, Dios o como cada quien desee llamarlo y que, de hecho, existe dentro de un cuerpo de energía que se extiende infinitamente a través de nuestro propio planeta y del vasto e ilimitado universo. La energía de la que formamos parte trasciende el espacio y el tiempo, nos conecta a todos, independientemente de dónde o incluso de cuándo hayamos vivido.

El paleontólogo jesuita Teilhard de Chardin, describió una «capa de pensamiento», a la que llamó noosfera, que envuelve la Tierra. Esa capa se ve activada, en parte, por todos y cada uno de los seres conscientes. En realidad, cada uno de nosotros somos como una célula de un cerebro gigantesco que contribuye a un conjunto que es demasiado grande como para poderlo aprehender plenamente. Teilhard dice:

> Esta noosfera es tan extensa y coherente como cualquier otra esfera de nuestro planeta, ya sea la atmósfera, la litosfera, la hidrosfera o la biosfera. Situada más allá de la biosfera, la noosfera constituye la capa de pensamiento que, desde su germinación, a finales del período Terciario, se ha extendido más allá del mundo de las plantas y de los animales.
>
> TEILHARD DE CHARDIN

A medida que nos familiarizamos cada vez más con el uso de los guías espirituales, nos conectamos más y más con esta capa de pensamiento o noosfera de nuestro planeta y empezamos a comprender el papel que jugamos en ella, la responsabilidad que supone participar en la vida a ese nivel y que nosotros recibimos, a su vez, muchas otras cosas a cambio de abrirnos más plenamente a esa capa. Percibimos que no estamos más separados de la noosfera de la Tierra de lo que nuestras células cerebrales se hallan separadas de nuestros cerebros. La conciencia individual se fusiona sin fisuras con la noosfera y emana de ella.

Hay una maravillosa cita de Lewis Thomas que describe muy bien esta relación:

> Seguimos discutiendo los detalles, pero en casi todas partes se está de acuerdo en que no somos los amos de la naturaleza que creímos ser; dependemos tanto del resto de la vida como las hojas, los mosquitos o los peces. Formamos parte del sistema. Un modo de expresarlo consiste en decir que la Tierra es un organismo esférico, formado de modo poco rígido, en el que todas sus partes componentes se hallan vinculadas de forma simbiótica.
>
> LEWIS THOMAS

Estoy convencido de que únicamente obteniendo un mayor conocimiento y una mayor habilidad en el manejo de los contenidos de nuestros mundos internos, podemos solucionar el principal problema actual: si terminaremos por destruir o no nuestro planeta, si acabaremos por hacerlo inhabitable para la vida, tal como la conocemos ahora, o si lo asumiremos plenamente y lo ayudaremos a florecer, de tal modo que pueda sostener a las generaciones futuras, permitiéndoles disfrutarlo. Disponemos de la tecnología para hacerlo de una forma o de otra, pero la decisión acerca de cómo utilizar ese poder puede ser racional o no. Nuestros mundos interiores funcionan a menudo de formas misteriosas y tenemos que aprender a aceptar y aplicar la sabiduría que se nos ofrece de este modo. En caso contrario, estamos destinados a repetir los errores del pasado.

Cuanto más nos familiaricemos con nuestros mundos internos y tanto más honremos nuestra conexión con la noosfera, mayores probabilidades tendremos de proteger y amar aquello que nos nutre: la propia Tierra,

Y cuanto más conectados nos sintamos con el cosmos, tanto más recibiremos las munificencias de la madre Tierra y del espíritu de la vida, que es el don especial de este maravilloso planeta.

Cuanto más se explora el mundo de los guías espirituales, tanto más se descubrirá una cierta familiaridad con el territorio en el que habitan. En realidad, las visitas que se hagan a ese lugar, situado dentro de la propia conciencia, se parecerán cada vez más a un regreso a casa, a medida que aumenta esa familiaridad.

A través del uso que hagamos de nuestros guías espirituales conoceremos nuevos niveles de comodidad con nosotros mismos, junto con el creciente aprecio por nuestra naturaleza espiritual. Los guías espirituales son, literalmente, compañeros y consejeros espirituales capaces de comunicarse con nosotros de formas sencillas y directas, y de aprovechar la sabiduría de la noosfera.

La riqueza de conocimientos que encontramos a través de los guías espirituales se puede aplicar a un abanico muy amplio de situaciones de la vida: en el desarrollo de relaciones personales más ricas, en la mejora del bienestar emocional y físico, en el aumento de la capacidad para afrontar problemas y encontrar soluciones en la vida diaria, en el inicio de empresas creativas y en el aprovechamiento de los poderes de aquello que algunas personas llaman el sexto sentido, es decir, del aspecto intuitivo o psíquico de nuestros seres, que nos conectan con el conjunto más grande.

Carl Jung, reconocido como uno de los más destacados líderes mundiales en la exploración de la conciencia humana, dijo una vez de este mundo interior que era «la más grande de todas las maravillas cósmicas».

Los guías espirituales constituyen una parte muy normal y natural de la experiencia humana. A medida que obtenga una mayor práctica con ellos, es muy probable que descubra, como han descubierto otros muchos miles de personas más, que la experiencia no es nada nuevo para usted. Quizá recuerde que, siendo un niño muy pequeño, tuvo un compañero de juegos imaginario, o quizá tuvo una muñeca favorita con la que solía hablar, en busca de consejo y consuelo cuando sus padres o compañeros de juegos herían sus sentimientos.

Al hacerse mayor, quizá haya adoptado a ciertos héroes: estrellas de cine o de rock, artistas, personajes de ficción o incluso el recuerdo de uno de sus parientes preferidos, que también le sirvieron para este propósito. En los momentos de tranquilidad, al percibir la necesidad de la fortaleza que estos héroes le transmitían, su compañía o su consejo le permitieron soñar, conversar interiormente con estos personajes que pueblan el paisaje interior.

Se mantiene el misterio de la fuente de la que proceden los guías espirituales, pero ahora sabemos que se han registrado muchos casos de conversaciones con estos seres, la mayoría de ellos muy beneficiosos, como atestiguan los textos de la literatura, la psicología, la filosofía, la música, la ciencia y las religiones de todo el mundo. En último término no importa mucho lo que esos guías espirituales sean en realidad, de dónde procedan o qué representen en el mundo. A lo largo de los tiempos, millones de personas han descubierto que estos guías son la fuente del conocimiento, el consuelo y la revelación que tanto y tan claramente mejoran la calidad de vida.

Al margen de cómo decida utilizar a sus guías, tenga en cuenta que, como sucede en cualquier otra relación personal que haya en su vida, será usted el responsable de la decisión de aceptar o rechazar la información que ellos le proporcionen. Hay una maravillosa anécdota de Sun Bear, que nos transmitió muchas y valiosas enseñanzas procedentes de las tradiciones de los nativos americanos. Nos cuenta que tenía un guía espiritual que era la reencarnación de un gran guerrero que vivió varios siglos antes. Sun Bear sentía un gran respeto por este guía, pero cada vez que seguía su consejo, se metía en problemas. Desconcertado, Sun Bear acudió a su propio maestro y le contó lo que le sucedía. El maestro, un sabio y viejo curandero, escuchó con interés la historia que le contó Sun Bear. Una vez que éste hubo terminado de contarla, el anciano miró al alumno y le dijo, simplemente: «¡Los muertos no te hacen sabio!».

La moraleja de esta anécdota es evidente: los guías espirituales, como cualquier otra persona que haya en nuestras vidas, no son infalibles. Procure conocer a sus guías, entrando en contacto y comunicándose con ellos de modo regular durante un mes o dos, antes de empezar a seguir sus consejos. Ni siquiera el más iluminado de ellos podrá prescribirle el camino a seguir, del mismo modo que tampoco podría hacerlo el consejero más ilustrado de nuestros mundos externos. La información más valiosa que puedan ofrecerle le llegará en forma de atisbos de percepción o como suaves sugerencias que le ayudarán a realizar cambios sutiles en la forma de ver su propia vida. Tenga siempre en cuenta el consejo de Sun Bear: el hecho de que un ser tenga la forma de un espíritu no hace automáticamente que su consejero sea infalible.

Teniendo en cuenta estas consideraciones, siga adelante en su viaje hacia el mundo de los guías espirituales, con un sentido de la aventura, la exploración y el juego. Procure tantear los misterios de este ámbito con un sano escepticismo, pero permita también que su corazón y su mente se mantengan abiertos a los muchos beneficios que nos ofrece.

Tal como sucede en nuestras vidas cotidianas en el mundo físico, nos mostramos más abiertos a las alegrías y a los momentos especiales de profundidad cuando recordamos hacer intervenir lo mejor de nuestro humor y de nuestra humildad. Esas son las condiciones requeridas para cualquier buscador espiritual, ya que nos recuerdan que en nuestras vidas presentes, como seres físicos en este mundo, todo aquello que podamos saber sobre el universo quedará enmascarado por nuestros egos, así como por los cinco sentidos. Según nos dice la Biblia, dentro de nuestras limitaciones humanas únicamente podemos ver a través de un cristal opaco.

Los guías espirituales nos proporcionan atisbos que van más allá de las verdades del ámbito físico. En el mejor de los casos, nos indican diminutas ventanas que nos permiten percibir una visión de una realidad infinita que se encuentra más allá. Seguramente, lo que nuestros guías espirituales nos ofrecen merece una exploración más concienzuda, ya que pueden aportarnos percepciones muy penetrantes que confirmen nuestra identidad espiritual y nos proporcionen una guía sensible capaz de mejorar nuestras vidas cotidianas.

LA NATURALEZA DE LOS GUÍAS ESPIRITUALES

Los pensamientos son como animales en el bosque o como la gente en una habitación o los pájaros en el aire... Si observas a personas en una habitación, no creerías que eres tú mismo el que ha hecho a esas personas o el responsable de su existencia...

C. G. JUNG,
atribuido a Filemón, *su guía espiritual.*

La ciencia nos dice que somos nosotros mismos los que generamos nuestros pensamientos, fantasías, sueños e incluso epifanías. Al haber crecido en la tradición científica, como nos ha sucedido a la mayoría de nosotros, nos sentimos tentados de restar importancia a lo que se dice sobre los guías espirituales o ángeles guardianes, pertenecientes a ese ámbito místico, considerándolos como ilusiones deseadas o incluso como pura locura. Y, sin embargo, hay quienes, como C. G. Jung, uno de los psicólogos más famosos de los dos últimos siglos (léase la cita incluida arriba), están profundamente convencidos de que esas entidades son reales y que representan una fuente de sabiduría que va más allá del alcance de nuestra conciencia cotidiana.

A modo de aclaración hay que indicar que la cita anterior formó parte de la explicación que dio Filemón (un guía espiritual) cuando Jung le pidió que indicara quién era. Esencialmente, Filemón le contestó dos cosas: que los pensamientos tienen vida propia y no, simplemente, la creación de una persona y que los guías espirituales, como el propio Filemón, también tenían identidades aparte del cerebro de la persona a la que servían.

La mayoría de nosotros hemos tenido al menos alguna experiencia con estas entidades a las que llamamos guías espirituales. Quizá hubo un momento en el que creímos escuchar una voz interior aconsejándonos acerca de algo que nos disponíamos a hacer. O, en algún otro momento soñoliento y de ensoñación, tuvimos la impresión de que había alguien cerca de nosotros, reconfortándonos cuando nos sentíamos ligeramente deprimidos o animándonos a seguir adelante cuando nos encontrábamos empantanados y llenos de dudas sobre nosotros mismos. Aunque posiblemente hayamos tenido esa clase de experiencias en la infancia y quizá, incluso, en la edad adulta, el encuentro fue probablemente fugaz. A pesar de nuestros intentos posteriores, parece como si no fuésemos capaces de repetir a voluntad esta clase de experiencias en nuestra conciencia. En el mejor de los casos, nos ocurren sin que nos demos cuenta y luego desaparecen, en cuanto percibimos lo que ha ocurrido.

Cuando era pequeño, en Michigan, donde me crié, tenía un amigo imaginario al que llamaba Alex. Era para mí como un hermano ocho o diez años mayor que yo en el que confiaba, infinitamente más sabio que yo mismo en todo lo relacionado con las cosas del mundo. Cuando Alex estaba conmigo, hablábamos. Manteníamos prolongados diálogos interiores mientras caminaba por las calles de la barriada residencial donde vivía y Alex era para mí tan real como cualquier otra persona que hubiese en mi vida.

Mis padres se mostraron al menos tolerantes cuando les hablé de Alex, aunque estoy seguro de que se habrían sentido bastante más preocupados si hubiesen comprendido lo importante que era él en mi vida. Al crecer, me di cuenta de que no se consideraba como un comportamiento sano el hecho de «hablar con uno mismo», por expresarlo de modo más bien suave. En el peor de los casos, la reacción de mis padres consistía en consentirme y tratar las historias que contaba sobre mi amigo imaginario como «astutas ideas imaginarias» que terminaría por superar en cuanto creciera.

No creo que mi experiencia sea única. Con el transcurso de los años he enseñado a miles de personas a utilizar a los guías espirituales. He escuchado una y otra vez historias muy similares a las mías, en las que los contactos infantiles con estos guías fueron profundos y, sin embargo, fueron desalentados por parte de bienintencionados adultos o de otros niños. Por eso relato ahora mis propias experiencias, para asegurar a los lectores que puedan haberse encontrado con estos guías en su infancia que sus experiencias no fueron singulares.

Si bien mis padres toleraron mi amistad imaginaria con Alex, mis compañeros en la vida real no fueron tan amables. Después de haber sufrido las pullas de mis compañeros de juego a causa del «enano que no existe», descubrí que era mucho mejor no mencionarlo para nada. Así que mantuve mis conversaciones en secreto. Él me consolaba cuando tenía miedo e incluso cuando tenía seis o siete años empezó a supervisarme sobre ideas de las que no había hablado con ninguna otra persona mayor en mi vida.

Alex fue el primero en indicarme que el mundo físico en el que vivimos no es todo lo que parece ser, que existe una realidad mucho más grande aparte de ésta y que esa realidad es, de hecho, responsable de ésta, convenciéndome de que eso era algo que algún día podría comprender con mayor claridad. Me enseñó también a contemplar el infinito y me instruyó para observar las estrellas por la noche y maravillarme ante los misterios.

Cuando los animales de compañía del barrio tenían descendencia o cuando las madres humanas daban a luz, él dirigía mi atención hacia el milagro del espíritu vital que animaba a todos esos nuevos seres. Cada nuevo nacimiento me recordaba que había un poder mucho mayor que el de cualquier ser humano, mayor incluso que el de la propia naturaleza. Y todo lo que experimentaba, incluidos mis propios pensamientos, no era sino una expresión de ese poder.

Alex no me enseñaba con palabras, excepto para instruirme acerca de dónde y cómo buscar la verdad: mirando más allá de las estrellas, hacia el espacio infinito, contemplando la existencia física como una cortina por detrás de la cual existía una verdad más grande, mirando más allá de la realidad corpórea de un recién nacido, por milagroso que eso pudiera parecer, para captar una visión fugaz de la Fuente que lo anima todo. El suave entrenamiento de Alex fue la única enseñanza metafísica que recibí en mi niñez. Luego, tenía ya unos veinticinco años cuando descubrí que en el mundo había gente normal que hablaba de estas cosas y que, además, se las tomaba en serio.

Poco a poco, a medida que aumentaron las presiones de mis compañeros, aparté los pensamientos de Alex, arrinconándolos en el fondo de mi mente, convencido de que, de algún modo, no eran aceptables. Al hacerlo así, Alex terminó por desaparecer de mi vida, al menos a un nivel consciente. Aunque fui yo mismo quien lo abandonó, lo cierto es que me sentí repelido y rechazado, triste ante su partida, aunque eso no lo comprendí bien en aquellos momentos. Fue sólo varios años más tarde, con sesiones de psicoterapia, cuando me di cuenta de que lo que mis padres habían atribuido al «cambio de humor infantil» no había sido, en realidad, sino el dolor por el alejamiento de mi vida de este amigo tan importante para mí.

No fue hasta poco antes de cumplir los treinta años cuando descubrí las obras de C. G. Jung y renové mi interés por los guías espirituales. La obra de Jung daba al menos una indicación de apoyo y confirmación a mis experiencias con estas entidades tan elusivas. A pesar de todo, no permití de modo inmediato que seres como Alex regresaran de nuevo a mi vid. Jung hablaba del *anima* y del *animus,* figuras que aparecen en nuestro inconsciente y que se nos aparecen como autónomas, es decir, como seres espirituales cuyas personalidades se hallan separadas de la nuestra.

Jung dijo que el *anima* y el *animus* «no son una cuestión metafísica». Y, sin embargo, también admitió que los espíritus o guías internos podían ser «tan ricos y extraños como el mundo mismo» y que, en cuanto empezamos a «hacerlos conscientes, los convertimos en puentes hacia el inconsciente».

Para Jung, el *anima* y el *animus* representaban las funciones masculina y femenina o las características personales que, por razones muy individuales, eran importantes para la visión general que cada persona tuviera de la vida. Señaló que estos seres y sus funciones ya habían sido observados por personas en las llamadas sociedades primitivas desde hacía quizá decenas de miles de años.

Es interesante indicar aquí que, mientras leía una obra del filósofo y chamán Hyemeyohsts Storm, del norte de Cheyenne, me encontré con las siguientes palabras:

> Dentro de cada hombre existe el reflejo de una mujer y dentro de cada mujer existe el reflejo de un hombre. Dentro de cada hombre y de cada mujer existe también el reflejo de un anciano y de una anciana, de un niño y de una niña.

Aquí, en las cosmologías del chamán nativo americano, se encontraba una nueva confirmación de que los seres espirituales se comunican con nosotros y de que nos dan a conocer su presencia a través de nuestra conciencia. Aunque las percepciones de Storm no dejaron de intrigarme, en aquellos momentos me sentía principalmente interesado por la psicología occidental, de modo que busqué las respuestas en Jung.

Jung me enseñó que por muy importantes que sean las funciones o características asociadas con el *anima*, no podíamos o no nos habíamos permitido a nosotros mismos incorporarlas a nuestras personalidades. Así que, al menos a un cierto nivel, esos seres eran manifestaciones o retoños de nuestra propia psicología. Un *anima* bien podía incorporar características que consideramos como desagradables y que no podemos aceptar como parte de nuestra personalidad. O bien rechazamos aquello que otros consideran como razones positivas. Por ejemplo, un *anima* puede incorporar un sentido del poder propio que no nos imaginamos poseer por nosotros mismos, porque hacerlo así implicaría tener que abandonar la seguridad de una dependencia respecto de un progenitor o de cualquier otra persona querida. Para tener esas características en nuestra propia vida, sin debérselas plenamente a ellos, inventamos a esos espíritus del inconsciente para poder disfrutar de algunos de los beneficios de tales características sin tener que incorporarlas plenamente a nuestra personalidad.

Con objeto de mantener nuestra desvinculación respecto de esas características, al mismo tiempo que experimentamos una cierta sensación de plenitud en nuestro mundo exterior, Jung postuló que podíamos buscar relaciones con personas reales que se ajustaran o se correspondieran en lo posible al *anima* que vivía dentro de nuestro inconsciente. No obstante, había peligros en buscar al doble de estos espíritus en el mundo real, ya que la gente del mundo exterior nunca estaba a la altura de las circunstancias. No serían sino simples sustitutos que nos dejarían frustrados y desconcertados. Además, según descubrió Jung, el trabajo terapéutico con personas que intentaran hacerlo revelaba que el *anima* podía tratar de defender su territorio como un amante celoso o un progenitor excesivamente protector que actuara dolido o colérico cada vez que nos aproximásemos a una persona en el mundo real que pudiera sustituirlo. En tal caso, nuestra implicación emocional con el *anima* o el *animus* podría tener como resultado nuestro rechazo de aquellas personas del mundo exterior que amenazaran con sustituir al guía interior.

Jung estaba convencido de que podíamos transformar a estos guías para que, en lugar de ser fuentes de conflicto en nuestras vidas pasaran a convertirse en verdaderos ayudantes. Y eso era algo que se hacía hablando al *animus* y haciéndole preguntas tales como por qué estaba presente en la vida de uno. Por ejemplo, Allen, un amigo mío que se sometió al análisis junguiano, informó de haber tenido dificultades para mantener relaciones duraderas con las mujeres de su vida. Deseaba desesperadamente una relación estable, pero cada vez que se acercaba a una mujer que le gustaba empezaba a actuar de un modo ofensivamente «machista» que inducía a la mujer a alejarse de él. A pesar de comprender intelectualmente lo que estaba haciendo, y de que no se sentía a gusto consigo mismo siendo machista, no podía hacer nada para impedirlo.

Durante el transcurso de su trabajo con el terapeuta junguiano, Allen descubrió que tenía a su disposición una guía interior que era una mujer de edad mediana llamada Alice, que personificaba todos los valores humanos que, según le habían enseñado, eran «femeninos». A pesar de sentir una necesidad de estas cualidades femeninas en su vida, era incapaz de permitirse a sí mismo considerarlas como elementos de su propia personalidad porque, según los valores de su padre, eso lo habría convertido en un afeminado.

Finalmente, Allen descubrió que Alice sentía celos de sus relaciones con las mujeres reales de su propia vida y que, como resultado del deseo de protegerla, él mismo había manifestado el comportamiento machista que alejaba a sus compañeras potenciales.

Allen terminó por hablar directamente con Alice, tratándola como si fuese una persona real en su vida. Le dijo que debía dejar de interferir con sus otras relaciones. Pasó por un período en el que se sintió culpable por habérselo dicho así a Alice, pero acabó por darse cuenta de que, como adulto que era, tenía todo el derecho a decidir quién y qué permitía acceder a su conciencia. Poco después de eso, Allen estableció una fructífera relación con una mujer con la que acabó felizmente casado.

Después de haberle impuesto su propia ley a Alice, esta *anima* acabó por adoptar un papel útil en la vida de Allen, que recurrió a ella cada vez que necesitaba de guía y consejo en cuestiones emocionales. Después de todo, la tarea de esta figura femenina consistía en cuidarse de ese tipo de cuestiones, o así se lo habían hecho creer sus padres. Con el transcurso del tiempo, Alice pasó de ser una fuente de conflicto en sus relaciones emocionales a una verdadera ayudante, en la medida en que la propia Alice adoptó alguna de las fuertes cualidades masculinas que Allen estaba desarrollando.

Un aspecto bastante interesante es que, después de haberse casado, Allen empezó a interesarse por la cocina y ésta pronto se convirtió en una actividad creativa profundamente satisfactoria, a pesar de que, para su padre, ese papel había quedado asignado al mundo de la mujer. Según dijo Allen, cada vez que cocinaba experimentaba una fuerte sensación de la presencia de Alice, como si ella le ayudara y, a través de él, alcanzara su propia realización de las artes culinarias. Ahora estaba descubriendo un verdadero placer en expresar los aspectos femeninos de su personalidad.

MÁS ALLÁ DEL *ANIMA* Y DEL *ANIMUS*

Jung, así como otros psicólogos, ha observado que en nuestra conciencia pueden aparecer otras entidades como el *anima* o el *animus*, pero que no son productos de nuestro ego o de nuestra personalidad. Pueden aparecer espontáneamente en los sueños o a través del uso de la imaginación activa (imaginería guiada o visualización), pero sus historias no aparecen relacionadas de ningún modo con nuestras propias luchas emocionales. De hecho, parecen ser entidades completamente separadas de la persona que las recibe. Por ejemplo, entidades «canalizadas» como Seth, popularizadas por los libros de Jane Roberts, parecen hallarse completamente fuera de los ámbitos cotidianos de la persona que recibe sus palabras, de modo que habría que considerarlas como algo diferente al *anima* o al *animus*.

En sus memorias, Jung describió una conversación que había mantenido con Filemón, su propio guía espiritual, que era de esta última clase de seres. A partir de sus propios comentarios, he extraído el epigrama con el que se inicia este capítulo y que ahora cito completo:

> Observé claramente que era él (Filemón) el que hablaba, no yo. Dijo que trataba los pensamientos como si los hubiese generado yo mismo pero que, desde su punto de vista, los pensamientos son como animales en el bosque o como la gente en una habitación o los pájaros en el aire y añadió: «Si observas a personas en una habitación, no creerías que eres tú mismo el que ha hecho a esas personas o el responsable de su existencia». Fue él quien me enseñó la objetividad psíquica, la realidad de la psique... Se me enfrentó de una manera objetiva y comprendí que en mí hay algo que es capaz de decir cosas que no sé y que no tenía intención de saber...
>
> *Recuerdos, sueños, reflexiones*

Después de leer este párrafo y otros relativos a los guías espirituales en la vida de Jung, empezaron a disminuir los conflictos que había mantenido con el guía de mi propia infancia. Y entonces tuve toda una serie de nuevas preguntas que hacerle a Alex, mi tutor en el ámbito metafísico.

GUÍAS INTERNOS COMO MAESTROS

Al empezar a seguir el modelo de Jung descubrí que mi tarea con los guías internos que encontraba (por lo menos con algunos de ellos) consistía en aceptar la importancia que tenían en mi vida interior, para luego darme permiso a mí mismo para aprender de ellos, estableciendo la misma clase de relaciones que tenía con la gente en mi mundo exterior, que a veces eran escépticas y otras de plena confianza. Descubrí así que, al aprender a conocerlos, reconocerlos y aceptar sus fortalezas y debilidades humanas, mi propia personalidad asumía sus funciones, tal como había hecho el hombre del ejemplo anterior. De ese modo, podía apropiarme de las funciones del personaje que representaban.

En la década de los setenta descubrí la investigación de Elmer y Alyce Green, publicada en su libro *Más allá de la biorretroalimentación*. La investigación que llevaron a cabo sobre la biorretroalimentación, a través de la Fundación Menninger, dejaba claro que: «la mente inconsciente no distinguía entre una experiencia imaginada y otra real». Aquello que imaginamos podía así tener efectos tan espectaculares sobre el cuerpo y la mente consciente como aquello que experimentamos en el mundo real a través de los sentidos.

¿Qué importancia tenía este descubrimiento sobre los guías internos? Para mí fue como una gran revelación: me sugirió que, en realidad no importaba quiénes fuesen los guías internos puesto que la mente inconsciente que, según admiten los psicólogos y los neurofisiólogos, es la fuerza dominante en nuestras vidas, experimenta a esos personajes del mismo modo que experimenta a cualquier otra persona que haya en nuestras vidas.

Dados los efectos potenciales que pueden tener sobre nosotros, la primera pregunta que se me ocurrió fue: ¿cómo puedo reconocer a un *anima* o incluso a un guía espiritual que puede estar aconsejándome mal o transmitiéndome una información errónea, con el propósito de protegerme así de sus propios intereses? ¿Cómo determinar en quién confiar y en quién no debo confiar en este mundo interior? Llegué a la conclusión de que, ya fuesen reales o imaginados, cada uno de nosotros tiene la responsabilidad de sopesar el valor de lo que estos seres aporten a nuestras vidas. En ocasiones tienen razón, y en otras se equivocan. A veces son amables y otras crueles.

Tanto si son reales como si no, uno tiene que tratarlos, después de todo, como si fuesen seres humanos, tan capaces de ser vanidosos, estúpidos o erróneos como cualquiera de nosotros. Pero tendría que pasar por numerosas aventuras y unas pocas desventuras antes de que empezara a comprender cómo hacer uso de los guías espirituales y a tomar conciencia de que existe un camino muy concreto que terminaría por descubrir y que me llevaría a través de este salvaje territorio metafísico.

APRENDER A VIVIR FUERA DE LOS LÍMITES

En la década de los sesenta experimenté, como otros muchos jóvenes de mi generación, con drogas y entógenos alteradores de los estados mentales. Durante una prolongada estancia en México tomé mescalina en forma de hongos mágicos, con una persona a la que ahora consideraría como un chamán, aunque por aquel entonces no conocía ese nombre. Se me abrió así una visión completamente nueva de la vida, una visión que no comprendía y puesto que el chamán y yo no compartíamos un lenguaje común, al ser él un indio y yo un gringo de allende la frontera, no pude obtener respuesta a la multitud de preguntas que cruzaban por mi mente.

Al regresar a Estados Unidos, continué tratando de alcanzar esta nueva visión de mi vida y empecé a tomar peyote y LSD con otro chamán al que conocí. Esta vez se trataba de un hombre de ascendencia cheroqui e irlandesa, al que conocí en California.

Gracias al peyote, empecé a ver cómo mi mundo interior coloreaba y daba forma a mi mundo exterior, tal como me había enseñado Alex. Con mi maestro chamán, el elusivo mundo de la conciencia interior empezó a ser cada vez más tangible y viable. De hecho, durante prolongados episodios alucinatorios vi y hablé con gentes que previamente sólo habían aparecido en mi mundo interior. Ahora, en cambio, esas gentes adoptaron identidades separadas, incluidos lo que parecían ser cuerpos físicos reales en el mundo exterior. Era como si proyectase hologramas mentales desde mi mundo interior hacia el exterior. Y, sin embargo, esas personas estaban claramente separadas de mí. Al hablar, sabía que sus palabras no procedían de mi propia mente; lo mismo que me había sucedido con Alex, el guía espiritual de mi infancia, dijeron e hicieron cosas que no pude predecir.

Al principio me sentí extrañado y asustado por estas apariciones que ahora me parecían tan reales y que, según me explicó mi amigo chamán, eran los guías espirituales, seres de mi propio mundo interior que, en realidad, eran autónomos, reales y estaban separados de mí. Me animó a hablar con ellos, y así lo hice. Al hablar con ellos, en ocasiones en voz alta, y a veces sólo interiormente, reconocí que siempre habían formado parte de mí, que habían vivido en mi conciencia, apareciendo únicamente en mis sueños y ensoñaciones durante todo el tiempo del que guardo recuerdo. Comprendí que para mí tenían una presencia tal real y tan separada de mí mismo como cualquiera de mis amigos y conocidos en el mundo físico. Claro que había diferencias entre los dos mundos, el físico y el etéreo, pero el uno no era menos real que el otro. Me di cuenta de que las figuras del mundo interior tenían mucho que ver con cómo funcionaba yo en el mundo, que mis intereses, temores, gustos y aversiones se hallaban conectados con mis relaciones con ellos. En realidad, esta fue la primera vez en la que empecé a comprender que mi éxito en la vida se veía con frecuencia mucho más profundamente afectado por la realidad del mundo interior que por la del exterior.

Una vez pasados los efectos del peyote, unas veinte horas más tarde, analicé con mi amigo chamán lo que había experimentado. Él sonrió y asintió, con expresión plácida en el rostro y quizá un poco divertido, como si todas mis percepciones interiores le fuesen conocidas de antemano, como así era, en efecto. Deseaba que me diera explicaciones. Si las conocía, lo cierto es que no estaba interesado en darlas a conocer. Al final, se limitó a mirarme a los ojos y me dijo: «Eso está bien».

Molesto ante su silencio, seguí interrogándole. ¿Qué era lo que estaba bien? ¿Era así como funcionaba el mundo interior de todas las personas? «No hay interior y exterior. Todo es una misma cosa» –me contestó con irritación–. «Aprende a verlo así.» El tema quedó zanjado. Lo siguiente que recuerdo fue que subimos a su coche y nos dirigimos a la ciudad para desayunar en un restaurante de comida rápida cerca de la carretera.

Al reflexionar sobre las experiencias con el peyote y mis conversaciones con los guías espirituales y otras personas que vivían en mi conciencia, me pareció que mis guías espirituales eran como emisarios entre los mundos interior y exterior.

Durante los dos o tres años siguientes, tomé peyote quizá una docena de veces o algo más. Gracias a los alucinógenos pude seguir manteniendo largas conversaciones con las entidades de mi mundo interior e incluso cuestionar para qué propósito servía tal o cual guía interior en mi vida. En una ocasión tuve incluso un enfrentamiento con un personaje que durante los últimos años me había jugado malas pasadas y me había manipulado. Mientras esto ocurría, supe en cada momento la diferencia entre estas manifestaciones etéreas y las personas reales que había en mi vida. En ningún momento tuve miedo de que mis comunicaciones con estas entidades fuesen en modo alguno patológicas. Este trabajo me parecía tan natural y significativo como cualquier otra cosa que imaginara hacer. En lugar de temor o desconcierto, experimenté finalmente una gran sensación de alivio, la impresión de que por fin estaban todas las cartas sobre la mesa.

Para llegar a ese momento en el que pude consultar con mis guías interiores sin el estigma adscrito a ese proceso durante mi niñez, tuve que luchar constantemente con mis propias dudas. Al igual que otras muchas personas que tuvieron guías espirituales o compañeros de juego imaginarios durante su infancia, tuve que superar aquellos recuerdos iniciales de humillación e incluso de preocupación por parte de mis padres. No me cabe la menor duda de que lo que me ayudó a ir más allá de eso fue una serie de acontecimientos que ocurrieron aproximadamente por la misma época en que se produjo la muerte de mi padre, en 1973. Fue en esa época cuando aprendí cómo pueden ayudarnos los guías de formas muy directas y resueltas, transmitiéndonos fortaleza y conocimiento para afrontar algunos de los mayores desafíos de la vida.

✡ ✡ ✡

NOTA DEL AUTOR:

aunque aprendí mucho del chamán del peyote con el que trabajé, no por ello propugno el uso de ésta o de cualquier otra planta o sustancia psicotrópica sin contar con la colaboración de un guía experto en forma de una persona, como un chamán o un psicoterapeuta, en quien se pueda confiar y que haya tenido experiencia en el uso de estas poderosas sustancias para la revelación y el crecimiento espirituales.

UN VISTAZO DE LA REALIDAD MÁS GRANDE

¿Qué es esta realidad más grande? Ve la mente como algo más que un cerebro que recopila información, como si fuese un simple ordenador. Ve la conciencia humana como parte de una realidad más grande (y quizá más allá) que el tiempo y el espacio, no como el epifenómeno de un organismo con un alcance temporal limitado en el cuerpo físico.

BRIAN O'LEARY
Exploración del espacio interior y exterior

Indudablemente, uno de los usos más espectaculares de los guías espirituales que confirma mi convicción de que podrían ser útiles incluso a nivel práctico, provino del hecho de haber sabido que mi padre se estaba muriendo. Papá tenía por aquel entonces casi 80 años y había vivido una vida plena y satisfactoria. Estoy seguro de que se hallaba mejor preparado para su muerte que yo mismo o cualquier otro miembro de la familia.

No tenía ni la menor idea de cómo afrontar su muerte. Me dieron la noticia de su hospitalización por teléfono, a más de cuatro mil kilómetros de distancia e inmediatamente después de recibir la llamada acudí a mi despacho para tomar las disposiciones que me permitieran volar a Michigan para estar con él en sus últimas horas. Mientras estaba sentado en el estudio, en mi casa, recordé que había escrito un sueño que había tenido sobre su muerte, unos dos años antes. Después de haber realizado trabajos oníricos durante varios años, disponía de gran número de diarios para repasar, a pesar de lo cual pude encontrar el sueño sobre la muerte de mi padre y estudiar lo que decía.

En el sueño, mi padre estaba en una habitación de hospital. Era invierno. Había dos ventanas, una que señalaba hacia el este y otra hacia el norte y al mirar hacia el este vi un puerto enorme. Había una puerta que conducía desde la pared norte del edificio hasta una hilera de muelles, para llegar a los cuales había que bajar unos escalones de madera. En el sueño, mi padre moría y yo veía su espíritu abandonar su cuerpo. A continuación, conduje su espíritu, que aún tenía la forma de su cuerpo, hasta una barca de aspecto extraño cuyo piloto, un hombre vestido como un pescador, que tenía aproximadamente la edad de mi padre, estaba de pie en el muelle, esperándolo.

Mi padre y el barquero se saludaron de forma amistosa, con papá un poco nervioso, pero sin mostrar la menor vacilación o temor. Parecía haber estado esperando aquel encuentro con una cierta expectativa. El barquero y él se estrecharon la mano y luego los dos se apartaron durante un momento para admirar la barca, con una cubierta de madera de teca hermosamente acabada. Mi padre, que había sido ebanista durante la mayor parte de su vida, sabía reconocer los acabados exquisitos y quedó muy impresionado por la artesanía con la que estaba hecha esta barca.

Finalmente, el barquero le dijo a mi padre que había llegado el momento de partir. Papá se volvió hacia mí y, ante mi sorpresa, me pidió permiso para marcharse, y así se lo di. A continuación repasó una lista de comprobación que había preparado, relativa a cada uno de los miembros de la familia, pidiéndome que le confirmara que a todos ellos les iba bien. Tuve la impresión de que no se hubiera sentido bien si se hubiese marchado antes de recibir esta confirmación. Le aseguré que a todos les iba bien y que estaba seguro de que todos le daban permiso para que nos dejara. Me pidió que me despidiera de ellos en su nombre y le prometí que así lo haría. Luego, nos abrazamos, nos besamos y él subió a la barca. El sueño terminaba encontrándome yo de pie en el muelle, observando cómo la barca se alejaba y desaparecía en el horizonte.

Leí el sueño y me eché a llorar. Además de ser un sueño sobre la muerte de mi padre, me recordaba lo alejado que había estado de él durante los últimos veinte años y que ahora habría muy poca oportunidad para compensar ese alejamiento. Pero, lo que era más triste todavía, no tenía ni la menor idea de lo que había producido el distanciamiento entre nosotros, de modo que aunque tuviésemos la oportunidad de enmendar las diferencias que pudiéramos tener, no sabría ni por dónde empezar.

En ese momento de mi vida había empezado a hacer intentos por comunicarme de nuevo con Alex. Sorprendentemente, descubrí que había envejecido, como les sucede a los seres humanos. Ya no era el adolescente que recordaba de mi infancia, sino un hombre que ahora se aproximaba a la mediana edad. Apenas dirigí mis pensamientos hacia Alex cuando él apareció en el ojo de mi mente. Al decirle que mi padre se estaba muriendo, me replicó muy serenamente que debía acudir para estar con él y que yo había de ser su guía en el viaje al otro lado. Me quedé consternado ante la sugerencia. Discutí con Alex, argumentando que no sabía nada sobre esas cosas, que nunca había estado al lado de alguien moribundo y que no sabría cómo actuar.

Alex me dijo que no me preocupara, que sería una situación difícil, pero que recibiría ayuda a lo largo del camino y que todo se desarrollaría sin problemas.

–¿Cómo conseguiré exactamente esa ayuda? –le pregunté.

–Oh, ya sabes –me contestó burlonamente–. Conoces a alguien, le pides lo que necesitas y le haces una pregunta.

Dijo todo esto de un modo displicente, dando a entender que era algo tan evidente y elemental que ni siquiera debería haberlo planteado. A pesar de todo, le presioné para que me diera una señal y me dijera qué debería buscar en aquellos que me ayudaran.

En ese momento empezó a mofarse de mí. Se encogió de hombros, hizo carantoñas y, de un modo bastante humorístico, como si hiciese una sátira de sí mismo, habló con un tono de voz que me hizo pensar en Bela Lugosi interpretando el papel de Drácula.

–La primera persona que encontrarás será una anciana –me dijo–. Comunícale a dónde te diriges y por qué. Luego, ve con ella y te dará una información muy importante.

No me gustó en absoluto que me dijera esto haciendo payasadas y menos en un momento como aquel. Me sentí bastante desconcertado, pensando que era de muy mal gusto hacer bromas en una situación tan seria.

Su única respuesta consistió en encogerse de hombros ante mi crítica, como diciéndome: «Que sea como tú quieras. A mí no me supone ninguna diferencia».

Aproximadamente una hora más tarde bajé a la agencia de viajes para recoger mi billete de avión para el viaje a Michigan. Luego, cuando me disponía a salir de la agencia, ¡me tropecé literalmente con una anciana! Le pedí perdón y me aparté de ella, con la intención de seguir mi camino. Entonces me di cuenta de que se trataba de la vendedora de la agencia inmobiliaria a la que le había comprado nuestra casa, varios años antes.

–Ah, Hal Bennett –me saludó–. ¿Te vas de viaje?

En cuanto habló recordé su marcado acento, derivado de la infancia que había pasado en el sur de Italia y que me recordó de inmediato las historias de Drácula que mi guía espiritual había imitado apenas una hora antes. Asombrado, recordé el consejo de Alex acerca de lo que debía hacer cuando encontrara a una anciana que me ayudaría. ¡Aquello era demasiado para ser una coincidencia! ¿Era posible que Alex hubiese sabido de antemano que esta mujer aparecería de pronto?

Con cierto titubeo, le dije a la mujer que mi padre se estaba muriendo y que viajaría a Michigan para acompañarlo en sus últimos momentos.

–¡Ah, ah, sí! –exclamó la mujer sin la menor vacilación–. Tienes que venir en seguida a mi despacho. Tengo algo muy importante que contarte.

–De acuerdo –asentí–. Al recordar la advertencia anterior de mi guía espiritual, me di cuenta de que esta era la «anciana» que Alex me había descrito, incluido el acento que a mí me había parecido sardónico. Lo había malinterpretado por completo.

El despacho de la mujer estaba a sólo unas pocas casas de distancia de la agencia de viajes y nos dirigimos allí inmediatamente. Ella cerró con llave la puerta exterior y me invitó a sentarme junto a su mesa de despacho. Luego, como una maestra que instruyera a su alumno, me contó que apenas hacía un año antes había estado sentada junto a su padre en el momento de su muerte. Resultó que había muerto exactamente de la misma enfermedad que ahora sufría mi padre.

Sin necesidad de que le hiciera una sola pregunta, la mujer me transmitió una enorme cantidad de información sobre la enfermedad y lo que sucedería, cómo mi padre se sentiría extremadamente agitado e inquieto, cómo alucinaría y cómo podría yo reconfortarlo. También me dijo que, para ella, la experiencia de estar sentada junto a su propio padre en el momento de su muerte había sido «un gran privilegio, tan maravilloso como el nacimiento de mis hijos» y que, a pesar de lamentar profundamente su pérdida, el hecho de haber estado presente en el momento de la muerte de su padre había enriquecido su vida.

–Esto puede ser un gran regalo para él y para ti –dijo, refiriéndose a mi propia situación–. Sólo tienes que abrir el corazón y la mente por completo.

Le dije lo muy agradecido que me sentía por su ayuda. Nos abrazamos y le prometí que le informaría de lo que sucediera en cuanto regresara de mi viaje.

En el avión a Detroit, cerré los ojos y me imaginé claramente a Alex. Le di las gracias por haberme animado a escuchar a la anciana. Aquel momento en la agencia de viajes y la conversación con la anciana en el despacho me convencieron de que debía permanecer abierto y confiar en que recibiría la clase de ayuda que necesitara. Alex así me lo confirmó, asegurándome que seguiría recibiendo toda clase de ayuda que necesitara. Añadió que debía examinar el sueño que había tenido, tomándolo como una guía, como un mapa acerca de lo que debía hacer.

Mis hermanos acudieron a recibirme al aeropuerto en Detroit y esa misma noche fui al hospital. El hombre que vi tendido en la cama sólo guardaba una vaga semejanza con la imagen mental que yo poseía de mi padre. Sus labios estaban agrietados y sangrantes, se hallaba gravemente deshidratado, a pesar de que el gotero le administraba fluidos a un cuerpo que se debilitaba por momentos.

Mi padre pareció alegrarse de verme. Me preguntó por mi viaje desde California y también por sus nietos. Hablamos un poco y, de vez en cuando, dormitaba. Al principio estaba sereno y se mostró extravertido, a pesar de que, evidentemente, le fallaban las fuerzas.

A medida que pasó ese día y luego otro y otro, el estado de ánimo de mi padre cambió. Se volvió nervioso e impaciente con el personal médico, no quería verlos en su habitación, pidió que le quitaran el gotero del brazo, lo que yo hice por él y luego empezó a negarse a tomar medicamentos. Durante los dos últimos días de su vida nadie entró en su habitación, excepto sus familiares más allegados. Rechazamos al personal médico y todos ellos parecieron sentirse felices por ello. Estaba claro que no les gustaba tener que tratar con la muerte.

A medida que se desvinculaba más y más del sistema de apoyo médico, aumentó la dependencia de papá con respecto a nosotros. Pude tranquilizarlo cuando sentía pánico, cuando se removía inquieto en la cama, quejándose de dolor, de la pérdida del control intestinal. Fue Alex quien me ayudó en aquellos momentos, explicándome que lo único que necesitaba hacer era colocar ligeramente la mano sobre el corazón de mi padre y permanecer en un lugar pacífico en mi propia mente, meditando. El cuerpo de mi padre ya había dejado de ser importante; ahora tenía que dirigir mi atención hacia su espíritu. Así lo hice y me extrañó lo bien que se desarrolló todo, lo que me permitió calmarlo con mayor efectividad que los medicamentos contra el dolor que él se había negado a tomar.

Hacia el segundo o tercer día empezó a tener fuertes alucinaciones, tal como me había pronosticado la anciana vendedora de la inmobiliaria. El contenido de esas alucinaciones fue muy significativo y muy íntimo.

Al buscar la ayuda de Alex acerca de las alucinaciones y visiones de papá, me dijo:

–Permite que tu padre tenga esas ilusiones. Haz todo lo que puedas por confirmarle su realidad, sea cual fuere esa realidad para él. Las alucinaciones son todo lo que le queda en estos momentos. No discutas con él ni trates de convencerlo de que no son reales porque para él son muy reales. Si parece asustado por ellas, pregúntale qué puedes hacer para ayudarlo y luego, hazlo, aunque es posible que eso te obligue a actuar en un mundo que no puedes ver. Sólo ten en cuenta que hay muchas realidades que no pueden ser confirmadas por los cinco sentidos y es ahí donde puedes prestar ahora el mayor servicio a tu padre.

Siguiendo estas instrucciones, pasé buena parte de un día y la mayor parte de otro llevando a cabo pequeños rituales como arreglar una estantería inexistente o rascar los dedos de la pierna izquierda de mi padre, que le había sido amputada muchos años antes. Algunos de esos rituales tuvieron que ver con la limpieza de la casa, mientras que otros se relacionaron con cuestiones mucho más profundas, con la comunicación con personas cuya presencia no podía ver, pero que sin duda estaban allí, representando importantes escenas emocionales en la vida de mi padre.

Una de las cosas más perturbadoras para mí fue una imagen recurrente que surgía cuando me encontraba sentado junto a mi padre, con una mano sobre su corazón. Él se tranquilizaba y parecía sentirse casi dichoso. Entonces, una imagen surgía en mi mente en la que nos encontrábamos él y yo montados en alguna clase de vehículo invisible, recorriendo a toda velocidad un desierto. Mi padre parecía disfrutarlo, pero yo no. Aumentaba entonces la velocidad y cuanto más rápido nos desplazábamos, más nervioso me sentía yo. Finalmente, me incorporaba de un salto, asustado y en ese momento abandonaba mi espacio de meditación y mi padre volvía a sentirse crecientemente nervioso.

Esta experiencia se repitió en varias ocasiones. Una tarde, mi hermano pequeño, Paul, acudió para relevarme y regresé a casa de mi madre a descansar. Durante el trayecto, le pregunté a Alex qué representaba aquel viaje en el vehículo invisible. Me contestó que esa era la imagen que se hacía papá acerca de su paso de la vida a la muerte y que no debía tener ningún temor por ello. Le pregunté si eso significaba que estaba equivocado mi sueño acerca de la transición a la muerte en una barca. Alex me contestó que no, que no estaba equivocado, pero que cada persona tenía su propia imagen para simbolizar esa transición y que aquella barca era la mía. La transición sería la misma, me aseguró, independientemente del vehículo que se utilizara.

Le pregunté a Alex qué debía hacer sobre el reflejo de susto que experimentaba, porque no quería seguir proyectando mi propio temor sobre mi padre. Alex me dijo que debía caminar hasta un lugar concreto al que había ido con frecuencia durante mi adolescencia. Se me dijo exactamente a dónde tenía que ir y, concretamente, a un cedro, situado al borde del lago junto al que había crecido.

Todo sucedía en pleno invierno y tuve que tomar prestadas botas de excursionista y ropas de abrigo para ir a donde quería ir. Dirigido por Alex, llegué a un claro en el bosque. Allí, ante mí, aún estaba una estructura primitiva que había hecho de niño. Había cortado y amarrado varios retoños, formando con ellos una tosca estructura piramidal con un árbol caído en el centro, sobre la cual me sentaba a menudo. Durante mi adolescencia, había tenido la intención de construir una pequeña cabaña en este lugar. Había planeado que los retoños amarrados serían la estructura para el techo. Al construirla, veinte años atrás, no tenía ni la menor idea de que formaban una pirámide.

Sentándome dentro de la pirámide, me volví hacia el lago, cerré los ojos y empecé a meditar. Transcurrieron unos pocos minutos. Luego, imaginé que veía una figura envuelta en un abrigo rojo de caza que se me acercaba. Percibí también la presencia de Alex, que me estaba diciendo que saludara a esta persona y hablara con ella.

A medida que la figura del abrigo rojo se hizo más clara en mi mente, me di cuenta de que era yo mismo, cuando tenía diecisiete años. A pesar de estar seguro de ello, le pedí que se identificara.

–Soy el muchacho que regresó de entre los muertos –me contestó–. ¿No lo recuerdas?

Me recordó que, cuando yo tenía quince o dieciséis años había contraído unas fiebres que me había contagiado un animal muerto que había matado para la cena, como resultado de lo cual estuve en coma durante casi dos días. Me encontré en aquella proverbial encrucijada entre la vida y la muerte, plenamente consciente de que la decisión de vivir o morir dependía por completo de mí en aquellos momentos. Recuerdo aquella experiencia muy claramente, incluso en la actualidad. No había ningún temor. La muerte no parecía suponer ninguna amenaza. Y no lograba comprender cómo tomar la decisión entre la vida y la muerte. La decisión, fuera la que fuese, me parecía totalmente arbitraria.

Aquella noche levité en alguna parte por encima de mi cuerpo, desde una distancia de unos veinte metros o más. Mi cuerpo estaba tumbado en la cama, envuelto en hielo, en un esfuerzo por lograr que me bajara la fiebre. Observé cómo mi padre entraba en la habitación del hospital y acercaba una silla hasta mi cama. Estaba llorando y sostenía mi mano fláccida entre las suyas. No comprendía por qué lloraba. Sabía que mi propia muerte estaba muy cerca, pero no comprendía cuál era la razón de su dolor. Ahora que veía la muerte con claridad, comprendí que no había nada que temer y nada por lo que lamentarse.

Nunca había visto llorar a mi padre de ese modo. Me dejó perplejo el tomar conciencia de que pudiera haber un vínculo tan poderoso entre mi muerte y su dolor. Y ahora estoy convencido de que fue únicamente la curiosidad por saber más sobre aquel misterioso vínculo, así como el respeto por las lágrimas de mi padre lo que en ese momento me indujo a elegir la vida en lugar de la muerte. De no haber acudido él a sentarse junto a mi cuerpo moribundo en ese momento, estoy seguro de que habría elegido la muerte.

De modo que había regresado de entre los muertos. El esfuerzo por regresar no había sido fácil. Regresé a un cuerpo consumido y débil por la fiebre, que había quemado virtualmente todos los pelos y descubrí que no podía ver y que sólo conseguía distinguir perfiles muy vagos de luz y sombras. De hecho, había podido ver mucho más cuando mi espíritu levitó sobre la cama, libre de mi cuerpo, agobiado por la enfermedad.

Ahora, veinte años más tarde, recordaba todo aquello. Alex, mi guía espiritual, estaba asegurándose de que yo lo viera, de que reconociera que ya había estado allí, en parte, para que pudiera servir a mi padre tal como él me había servido a mí, sólo que esta vez yo había de ayudarle a elegir la muerte y a cruzar hacia el otro lado. Pero allí estaba yo, sentado bajo una pirámide de retoños de cedro, amarrados casi dos décadas antes, contemplando una figura ilusoria envuelta en un abrigo rojo de caza.

Le pregunté al muchacho que había regresado de entre los muertos qué haría para ayudarme. Me contestó que no lo sabía, pero que se quedaría conmigo y, cuando llegara el momento en que pudiera ayudarme, me lo haría saber.

Al día siguiente, al regresar para visitar a mi padre en el hospital, lo encontré peor. Durante buena parte del tiempo se mantuvo muy quieto, con los ojos cerrados. Cuando despertaba durante uno o dos segundos, parecía no conectar con nada de lo que pasaba en la habitación. Frecuentemente me llamaba por otro nombre y, cuando lo hacía, yo le contestaba como si fuese aquella otra persona. Si me pedía que me ocupara de algo que no estaba allí, yo le obedecía.

Durante la mayor parte del tiempo permanecí sentado junto a su cama, meditando, como antes, con una mano posada sobre su pecho. La imagen del vehículo invisible que nos transportaba a los dos sobre el desierto siempre estaba ahora presente, pero el viaje parecía haberse hecho más lento y sano y ya no me sentía asustado.

Hacia la noche, fui consciente de la entrada de mi hermano mayor en la habitación y de que se quedaba simplemente allí, de pie, mirando fijamente a mi padre. Yo me hallaba sumido en profunda meditación, concentrado en la imagen del vehículo, con la esperanza de que no acelerara su velocidad y me asustara. Fui claramente consciente del hecho de que la velocidad del vehículo aumentaba gradualmente y de que no podía hacer nada para evitarlo.

La velocidad del vehículo aumentó a cada segundo, de modo que finalmente le pedí ayuda a mi guía interior. Alex apareció, se limitó a mirarme y luego se encogió de hombros. No sabía qué hacer, excepto aconsejarme que le pidiera ayuda al muchacho que había regresado de entre los muertos. Instantáneamente, éste apareció diciendo que ahora podía ocupar mi puesto en el vehículo. Así lo hizo y me quedé allí observando, mientras mi padre y él se alejaban a toda velocidad. En ese momento, me sentí aliviado de una enorme carga y me sentí conectado con la tierra y en paz.

Mi padre murió durante la madrugada. Se fue de la forma más pacífica imaginable, sumiéndose en el sueño, del que nunca despertó. Pero eso no sucedió antes de que mi hermano mayor y yo le abrazásemos, diciéndole que le amábamos y despidiéndonos de él.

Varios meses después de la muerte de papá, mi hermano mayor me describió lo que había pasado por su mente aquella noche en la que entró en la habitación del hospital y se quedó tan quieto, mirándonos fijamente a papá y a mí. Mi hermano dijo haber visto lo que le pareció como una copia etérea del cuerpo de papá flotando por encima de la cama, conectada por el ombligo del cuerpo físico por debajo de él por una especie de hilo delgado, de aspecto orgánico. Casi un año más tarde mi hermano descubrió que ésta es una experiencia bastante habitual entre las personas que se encuentran cerca de una persona moribunda, y que representaba el espíritu que abandonaba el cuerpo físico.

Durante todos aquellos días en que mi padre se estuvo muriendo e incluso durante varias semanas más tarde, Alex continuó ayudándome. Mantuvo en todo momento una presencia serena, incluso durante algunos de los momentos más difíciles y desconcertantes para mí. Con aquella serena presencia fue siempre una piedra de toque para mí, un recordatorio de que mi temor y mis temblores los producía yo mismo, de que, vistos desde la perspectiva superior que Alex conocía, esos temores no eran sino vanidad.

¿DÓNDE ESTÁ LA PRUEBA?

No hay forma de confirmar objetivamente estas experiencias. Lo único que se puede confirmar, incluso anecdóticamente, es que mis guías interiores, Alex y el muchacho que regresó de entre los muertos, desempeñaron sin duda funciones muy importantes que me permitieron estar con mi padre en formas que le fueron útiles a él, a mí y espero que a toda la familia. Si no me hubiera permitido a mí mismo recibir la ayuda que obtuve de estos guías interiores, toda la experiencia podría haber sido dolorosa y durísima. Con su ayuda, pudimos estar con papá, darle nuestro amor y nuestros cuidados durante los últimos momentos de su vida.

A partir de los estudios antropológicos de los pueblos antiguos y del estudio de la práctica de la «canalización», sabemos que cuando una persona adopta el carácter de un animal, una diosa o dios o cualquier otra persona, obtiene acceso a información de la que no dispone en su vida cotidiana. Esta práctica es tan antigua como la narración de historias y el uso de máscaras. Ciertamente, al ponerse una máscara ocurre algo casi mágico: cambiamos de carácter. Si estamos predispuestos a ello adoptamos el personaje representado por la máscara.

Una amiga que vivió durante varios años en la reserva zuni, en Nuevo México, donde trabajó como maestra de escuela, me contó una historia al respecto. Madre soltera, también se llevó consigo a su única hija de siete años. Un día, su hija estaba sentada sobre un pequeño muro, observando a los bailarines katchina que desfilaban por el pueblo, durante el Shalajo, un día ceremonial tradicional.

Según creen los zuni, los katchinas son espíritus que en otro tiempo tuvieron forma humana. En su transición al mundo de los espíritus, han evolucionado para convertirse en seres superiores que ahora regresan a la Tierra de vez en cuando, para enseñar a la gente ciertos principios espirituales.

Durante las ceremonias, las personas designadas en la comunidad se ponen las máscaras de estos espíritus y, a través de la práctica y de la ceremonia, asumen lentamente el carácter específico del katchina. En muchos casos, el derecho de llevar y actuar como un katchina se ha transmitido durante muchas generaciones, dentro de la familia. Es algo que se considera como un gran privilegio y que se toma muy seriamente.

La hija de mi amiga, sentada sobre el pequeño muro, observaba estas danzas tradicionales cuando su amiga zuni, que tenía aproximadamente la misma edad, se volvió hacia ella y le susurró: «¿Sabes cuál es el secreto de los katchinas?». La hija de mi amiga le contestó que no lo sabía, a lo que la niña zuni le susurró al oído: «Ahí dentro hay gente real».

Eso lo decía una niña que, probablemente, conocía a cada una de las personas que bailaban los katchinas: los vecinos de al lado, los primos, el hombre que trabajaba como dependiente de la tienda local..., todos ellos eran personas a las que ella conocía en el pequeño pueblo zuni. Sin embargo, todos ellos asumían tan meticulosamente los personajes de los katchinas, que nada en ellos revelaba su identidad cotidiana. Lo cierto es que, fuera cual fuese la máscara y el atuendo representado por el bailarín, estos tenían el poder de permitirle disolver su propio ego y personalidad, para adoptar las peculiaridades y la sabiduría de la figura espiritual. De hecho, esta práctica es una experiencia trascendente para la mayoría de los bailarines.

En los talleres donde la gente accede a sus propios guías espirituales, siempre se producen muchas sorpresas. Hemos visto a personas asumir el carácter de, por ejemplo, un águila y describir la experiencia del vuelo. Hemos visto a jóvenes convertirse en abuelas o abuelos, hablando como ellos y hasta ofrecer su mismo aspecto, desvelando misterios o agravios ante la familia. En un caso, una mujer que durante un taller de cuatro días se había mostrado bastante reticente, adoptó el carácter de una vieja bruja muy divertida y sabia. Tras ponerse a bailar con un giro de movimientos muy contenido y, sin embargo, elegante, la vieja bruja se puso a lanzar gritos agudos como un cuervo y se detuvo delante de cada una de las personas presentes para darle un consejo y una percepción totalmente apropiadas para cada individuo.

Todos estos no son sino ejemplos de trabajo con los guías espirituales. Ya sea externamente o dentro de la quietud de la propia conciencia, aparecen personajes que tienen claramente acceso a información, así como una forma de ser que la persona no era consciente de tener. Naturalmente, eso se puede explicar de varias formas diferentes. Quizá al desprendernos de algunas de las limitaciones del ego o al asumir otras diferentes, activamos partes de nuestras mentes a las que habitualmente no tenemos acceso. Quizá la mente guarda mucha más información de la que el sí mismo cotidiano es capaz o está dispuesto a admitir en la plena conciencia. De algún modo, al asumir personajes diferentes, cambiamos de canal y somos conscientes de ámbitos de conciencia que hasta entonces habían permanecido ocultos incluso para nosotros.

Sabemos que al escribir o leer novelas, entramos en las vidas y en las mentes de personajes muy diferentes a nosotros. Y aprendemos de ello, hasta cambiar nuestra visión del mundo y ampliar nuestras percepciones. Durante un tiempo, entramos en las vidas de los personajes sobre los que leemos o compartimos los pensamientos y sentimientos del autor. Las habilidades del escritor le permiten crear como un recipiente que nos mantiene en mundos muy diferentes al nuestro y, en ese proceso, trascendemos nuestras propias limitaciones.

Si el guía espiritual puede explicarse en estos términos, como poco más que productos de la imaginación, eso no disminuye, sin embargo, el impacto que ese proceso tiene sobre nuestras vidas. De hecho, puede resultar muy valiosa la capacidad para asumir personajes diferentes por el bien de trascender momentáneamente las propias percepciones cotidianas del mundo. Esta herramienta de la conciencia puede enriquecer su vida de formas muy extraordinarias.

En su juventud, C. G. Jung escribió un pequeño libro titulado *Los siete sermones de los muertos* (*Septem Sermones ad*

Mortuos). En ese pequeño libro informó sobre personajes o guías espirituales que le daban instrucciones acerca de un modo de contemplar el mundo muy diferente a la derivada de su formación científica como médico y psicoanalista. De hecho, al leer este escrito inicial, la persona que conozca bien la obra de Jung encontrará las semillas de muchas de sus ideas más progresistas y creativas, que desarrolló durante su vida, extraordinariamente productiva.

Al examinar una obra como esta, así como otras obras de las llamadas de canalización, como la de Jane Roberts (*Habla Seth*) o Helen Schucman (*Un curso de milagros*), y comparar el conocimiento y la experiencia de los autores con el conocimiento y la experiencia de sus guías espirituales, encontramos a menudo importantes disparidades. Las diferencias e incluso las contradicciones entre las dos sugieren que las autoras aprovechan realmente una fuente de información muy diferente a la propia. Naturalmente, no hay forma de demostrarlo, pero después de estudiar algunas de estas obras canalizadas, uno se siente inclinado a estar de acuerdo con Jung en su valoración de Filemón, su propio guía espiritual:

> Filemón y otras figuras de mis fantasías me hicieron comprender la percepción crucial de que en la psique hay cosas que no he producido yo, sino que se producen a sí mismas y tienen su propia vida. Filemón representaba a una fuerza que no era yo mismo.

En su análisis del papel representado por Filemón en su propia vida intelectual y espiritual, Jung dijo que su guía espiritual «representaba una percepción superior..., una figura misteriosa para mí. En ocasiones me parecía bastante real, como si fuese una personalidad con vida propia».

Jung también habla de haber conocido a un amigo de Gandhi, un líder espiritual de la India, al que describió como un caballero considerablemente sofisticado y educado. En un momento determinado, Jung le preguntó por su educación espiritual y quiso saber con qué gurú había estudiado. El hombre le contestó con naturalidad que con Shankaracharya. Jung, que conocía a este maestro como un comentarista de los *Vedas,* muerto varios siglos antes, quedó asombrado. Al pedir una explicación, el hombre contestó que este gurú era, en efecto, la misma persona. Jung le preguntó entonces si se estaba refiriendo a un maestro espiritual. El hombre le contestó que así era y que hay muchas personas que tienen a espíritus por maestros. Para Jung, esta no fue sino una bien recibida confirmación de sus propias experiencias con sus *Siete sermones* iniciales, así como con su trabajo posterior con Filemón y otros espíritus.

Al utilizar sus comunicaciones con los guías espirituales, Jung trabajaba en realidad con una tradición bien asentada. Por ejemplo, está generalmente aceptado que los *Vedas,* parte de una de las escrituras religiosas más antiguas del mundo, se basaron en revelaciones canalizadas por antiguos sabios indios. De un modo similar, al menos según la fe musulmana, el Corán fue canalizado por Mahoma durante sus prolongados estados visionarios. En tiempos más recientes, las obras de Alice Bailey fueron canalizadas hacia ella por un guía espiritual al que únicamente identificó como *El tibetano.* Otros que podemos añadir a la lista incluyen *Los libros de Emmanuel,* de Pat Rodegast, dos libros de Andrew Ramer, titulados *Ángel responde* y *Revelaciones para un nuevo milenio,* y la obra de David Spangler titulada *Transforma-ciones de la Nueva era: revelaciones,* por citar sólo unos pocos.

En el pensamiento gnóstico, así como en muchas religiones orientales y en las enseñanzas espirituales de varios pueblos nativos americanos, el universo y todo aquello que observamos no es sino una única conciencia. Además, no estamos en absoluto separados de esta conciencia, sino que formamos parte de ella. En sus *Siete sermones,* el guía espiritual de Jung llama *pleroma* a esta conciencia y dice de ella: «Somos el pleroma mismo, pues formamos parte de lo eterno y de lo infinito».

Como «el pleroma mismo», todos y cada uno de nosotros somos capaces de acceder a cualquier cosa que abarque el pleroma, es decir, a todo. Mi propia opinión es que si estuviésemos constantemente abiertos a este conocimiento y a esta experiencia infinitas, probablemente nos volveríamos locos. Para que podamos funcionar adecuadamente en nuestra forma física, nuestros cerebros y, en particular, nuestras personalidades o egos, actúan como filtros, permitiéndonos así que nuestro conocimiento sea relativamente manejable.

Al acceder a los guías espirituales, o incluso al crearlos, cambiamos esos filtros que nos proporcionan nuestras personalidades. Esos diferentes personajes nos permiten expandir nuestras propias capacidades y conciencia, sumergiéndose en los ámbitos del pleroma, con su conocimiento infinito que, de otro modo, nunca sería accesible para nosotros. Recuerdo las palabras de William James, uno de los padres de la investigación psicológica moderna:

> La mayoría de la gente vive... en un círculo muy restringido de su ser potencial. Utilizan una parte muy pequeña de su posible conciencia y de los recursos de su alma, en general, de modo similar a un hombre que, de entre todo su organismo físico, hubiese adquirido la costumbre de usar y mover únicamente su dedo meñique.

A través del trabajo con los guías espirituales, empezamos a penetrar en las áreas intuitiva y mística, esos ámbitos de la experiencia humana tan gravemente descuidados en nuestro afán por medir, categorizar y cuantificar el universo. Quizá mediante la exploración del ámbito intuitivo, mezclando las técnicas modernas con otras que cuentan con miles de años de antigüedad, podamos familiarizarnos más con los recursos de nuestras almas para aprender a intensificar la calidad de nuestras vidas.

COMPAÑEROS ESPIRITUALES DURANTE TODA LA VIDA

Si estos procesos señalan el camino hacia la existencia de otras inteligencias, entonces tenemos acceso a dominios que muy probablemente se encuentran más allá de nuestra imaginación.

ARTHUR HASTINGS
Con las lenguas de los hombres y de los ángeles

A lo largo de la historia, los humanos hemos buscado formas de comprender las fuerzas invisibles que gobiernan nuestras vidas. Me refiero con ello a las fuerzas espirituales y emocionales, a los recursos del alma cuya presencia conocemos no por lo que nos dicen nuestros cinco sentidos, sino por lo que nos dicen nuestros corazones y almas. Conocemos estas fuerzas a través de sentimientos como el amor y la compasión; las conocemos al contemplar el cielo por la noche, al observar el orden de los planetas, al sostener a un recién nacido entre los brazos y contemplar el misterio de la vida misma. En las sociedades antiguas, los seres humanos se ponían máscaras y vestimentas para personificar esas fuerzas (la diosa del amor, la diosa de la fertilidad, el dios de la guerra, etc.), para reconocerlas y honrarlas.

Cuando el actor o el bailarín se ponía vestimentas y máscaras y seguía los ritmos de los tambores, de los músicos y de otros bailarines, se transformaba, abandonando las preocupaciones cotidianas del ego, para asumir el carácter divino del dios, la diosa o la fuerza espiritual que estuviera representando. Los actores dejaban en suspenso sus preocupaciones personales y concentraban toda su atención en las verdades universales que todos conocemos intuitivamente, aunque es posible que nunca hayamos aprendido a articularlas. La máscara, el atuendo, los ritmos y movimientos que los rodeaban concentraban la atención de los actores en la fuerza o en el carácter que representaban, dándoles permiso para trascender las fronteras físicas de sus propias vidas y para concentrarse más intensamente, a través de sus corazones y de sus almas, de modo que pudieran expresar verdades situadas más allá de la comprensión verbal.

Desde que tuve veinte años y hasta poco después de cumplir los treinta, trabajé en el teatro, fascinado por la forma en que la gente con habilidades de actuación y con la ayuda de un buen guión, era capaz de acceder a cualidades y comprensiones que, por lo demás, no parecían poseer por sí mismos. La persona sumisa y retraída fuera del escenario, era capaz de transformarse en un déspota convincente al asumir el papel de un personaje tiránico en el escenario; la mujer cuya vida era un completo desorden en su ámbito privado, podía convertirse en una noble líder en el escenario. Estoy convencido de que estas transformaciones no ocurrían únicamente porque se le comunicaban al actor las palabras adecuadas que tenía que decir o el escenario dramático para convertirse en un determinado personaje. Sin duda que eso también formaba parte de ello. Pero lo más importante era que los actores parecían experimentar una transformación personal. Durante esos breves momentos, sobre el escenario, personificaban las fortalezas y las virtudes que inspiraban u horrorizaban a su público, aprovechando recursos que, en ocasiones, parecían casi milagrosos.

Al haber podido conocer a docenas de actores, tanto en el escenario como fuera de él, me pareció absolutamente fascinante reflexionar sobre el enigma de hasta dónde podía extenderse la conciencia humana, de lo lejos que podían llegar nuestras capacidades cotidianas bajo determinadas circunstancias. De hecho, presencié actuaciones que me convencieron por completo de que la conciencia no conoce fronteras o, al menos, de que se extiende mucho más allá de los confines de la caja ósea que contiene nuestros cerebros.

A partir de mis experiencias en el teatro, me convencí de que los guías espirituales se inician como algo similar a personajes de una obra de teatro. Luego, al entregarnos a ese personaje, se disuelven nuestras personalidades individuales y se libera nuestra conciencia, lo que nos permite alcanzar reservas de conciencia que se encuentran fuera de nuestro sí mismo cotidiano. Al asumir estos personajes, creamos una forma de experimentar una realidad diferente.

En el verano de 1970, y estando yo de visita en casa de nuestro amigo el doctor Michael Samuels, con quien había escrito varios libros de salud, nos enzarzamos en una discusión sobre guías espirituales. Expuse mi teoría de que eran algo así como subpersonalidades que nos permitían examinar la vida de una manera ligeramente diferente, permitiéndonos el acceso a una perspectiva diferente y, posiblemente, a un vasto almacenamiento de conocimientos. Esperaba que el doctor Samuels estuviese plenamente en desacuerdo conmigo. Puesto que era médico, con una formación científica, estaba convencido de que adoptaría una actitud escéptica y científica acerca de los guías espirituales.

Estábamos sentados en el porche de su casa en el condado de Marin, disfrutando de un hermoso y claro día sobre la costa de California. En la distancia, el océano se extendía hasta los confines de la tierra, fundiéndose allí con un cielo azul brillante. En el huerto de Mike los manzanos estaban llenos de frutos y hasta nosotros llegaba su dulce fragancia, arrastrada por una cálida brisa veraniega. Un halcón trazaba círculos en lo alto. Era uno de esos días idílicos en los que parece que disponemos de todo el tiempo del mundo para estar sentados y charlar.

Mike escuchó pacientemente mis teorías sobre los guías espirituales. Luego dijo que quizá un año antes habría podido estar de acuerdo conmigo, pero que desde entonces había tenido varias experiencias de primera mano que le inducían a plantearse una serie muy diferente de preguntas. Sin exponer sus argumentos, me preguntó si de niño había tenido a un compañero de juegos imaginario. Admití que, en efecto, había tenido uno y que, en realidad, lo recordaba muy vivamente.

Entonces, Mike me contó que recientemente había aprendido una forma de conseguir a un guía espiritual y me preguntó si estaría dispuesto a intentarlo. Hablamos del tema durante un rato y él me describió lo que suponía el proceso; se trataba, fundamentalmente, de entrar mentalmente en un lugar profundamente relajado de mi mente y permanecer allí, receptivo para el encuentro con un guía. Parecía algo bastante sencillo, de modo que le dije que me gustaría intentarlo.

Sentado bajo el cálido sol que bañaba los campos, Mike me dio instrucciones para que cerrase los ojos, mientras hablaba conmigo y me hacía pasar por lo que me pareció un sencillo ejercicio de relajación. Al relajarme, me permití a mí mismo ser dirigido por la voz de Mike. Me pidió que imaginara que me encontraba delante de una casa. La casa en la que pensé fue una muy antigua, de estilo Tudor, con su pesada puerta de tablones abriéndose a una calle estrecha y empedrada. Tuve la impresión de hallarme en una ciudad europea y de que la casa tenía quizá varios centenares de años de antigüedad. Había coches alrededor, de modo que no era como si hubiese retrocedido mucho en el tiempo, aunque no estaba familiarizado con los modelos y estilos de fabricación, la mayoría de los cuales parecían pertenecer a la década de los años treinta.

Nunca había estado en Europa, por lo que me pareció extraño que todo aquello pudiera parecer tan real, como si visitara un lugar en el que previamente hubiese pasado una larga temporada. Escuché desde lejos, en la distancia, el sonido de una campana que daba las horas y, de algún modo, supe que procedía de una torre del reloj en una no muy lejana plaza pública. Escuché voces de gentes que pasaban y me di cuenta de que hablaban inglés, pero con acento británico que apenas si pude comprender.

Se lo comenté a Mike, quien me aconsejó que no hablara y que siguiera concentrado en mi viaje imaginario. Me dijo que llamara a la puerta de la casa ante la que me encontraba. Así lo hice. Tras un momento, escuché el sonido de un cerrojo al correrse en el interior. Se abrió la puerta y apareció una escuálida mujer joven, que llevaba un delantal de color verde claro que le cubría toda la parte delantera del cuerpo. Me saludó como si me hubiese estado esperando. Yo no sabía exactamente qué decir o hacer, pero eso resultó innecesario, ya que la mujer me dirigió hacia una amplia escalera situada a mi derecha y me indicó una puerta que daba al rellano superior. Seguí obedientemente sus instrucciones, suponiendo que ella sabía mucho más que yo.

Ante la puerta indicada, llamé suavemente. Al comprobar que nadie me contestaba, entré. La habitación estaba vacía, a excepción de unas pocas sillas de respaldo alto, lo que me produjo la impresión de que nadie utilizaba aquella estancia. Le informé a Mike de lo que veía y me sugirió que me sentase en una silla e imaginara que veía una puerta delante de mí, a través de la cual acudiría mi guía. La puerta era una corredera especial, que se abría desde abajo y se elevaba lentamente, de modo que vería a mi guía espiritual apareciendo ante mí gradualmente. Me senté, tal como me habían indicado. Al cabo de un momento, la puerta empezó a abrirse, mostrando los recios zapatos de una mujer de piernas bastante grandes. A medida que la puerta se fue abriendo hacia arriba vi una bata blanca de laboratorio, una cintura gruesa y, finalmente, a una persona completa.

Desilusionado al comprobar que no se trataba del imaginario compañero de juegos de mi infancia, y bastante sorprendido porque no lo fuese, sentí a pesar de todo curiosidad y permanecí pacientemente sentado, a la espera de ver lo que sucedería a continuación.

Esta nueva guía se me presenta como la doctora Hilda. Era una mujer de edad mediana, con aspecto de investigadora médica con algo de exceso de peso, acento alemán y actitud estirada. No llevaba maquillaje, era mofletuda y algo feúcha, con una papada que hacía que su rostro fuese bastante redondo. Llevaba el pelo corto y canoso y su bata de laboratorio, almidonada, blanca y grande impedían hacerse una idea clara de su cuerpo.

A pesar de su apariencia rígida, se mostró bastante afable y se ofreció cordialmente a mostrarme lo que llamó su laboratorio. Me levanté y la seguí a una habitación en la que había gran cantidad de recipientes de acero inoxidable y de cristal y varias mesas. Le pregunté a la doctora Hilda qué estaba haciendo en mi vida y me contestó que estaba allí para enseñarme algo sobre un trabajo curativo que había estado observando.

Me dijo que me quedara en un determinado lugar de su laboratorio, y así lo hice. Ella se instaló a mi lado y, en un instante, nos vimos transportados a un ambiente completamente diferente. Ahora nos hallábamos en la jungla, envueltos en una densa y vaporosa atmósfera de árboles muy altos. Me encontraba en un bosquecillo de helechos que se elevaban sobre mi cabeza. Hilda se llevó un dedo a los labios, advirtiéndome que guardara silencio y luego señaló hacia un claro, situado más allá del borde de helechos. Escuché a un hombre que cantaba suavemente, con una voz profunda y resonante, de modo que los ritmos se mezclaban con los sonidos de la naturaleza que nos rodeaba. Le pregunté a la doctora Hilda de qué se trataba.

–Es un ritual curativo –me contestó.

Eché un vistazo hacia el claro, procurando mantenerme oculto tras el denso follaje de helechos y plantas de grandes hojas. En el centro del claro observé a dos figuras. La primera era un anciano de raza negra y piel arrugada, sentado en el suelo, en una posición de semiloto, con la cabeza inclinada y los ojos cerrados. Estaba desnudo, a excepción de algo que llevaba en el cabello y que resultaron ser hojas o manojos de hierbas frescas.

Otro hombre, también de raza negra y más joven, vestido con un taparrabos blanco, danzaba alrededor del anciano. Sus movimientos eran sencillos, rítmicos y repetitivos y apenas variaban a medida que trazaba círculos alrededor del hombre sentado en el suelo.

Canturreaba al tiempo que se movía, con voz profunda, resonante y tranquilizadora.

–¿Qué están haciendo? –le pregunté a la doctora Hilda.

–El hombre sentado en el suelo se está muriendo, el otro es un hombre santo, lo que se podría llamar un curandero. Se llama Ubanga o Uvani. Diferentes personas lo llaman con nombres diferentes. Creo que uno de los nombres es el habitual y el otro es el que se le aplica cuando está realizando su trabajo.

–¿Sabe que está usted estudiándolo?

–Desde luego que sí –contestó la doctora Hilda–. En este trabajo no se observa sin permiso.

–¿Y cuál es exactamente la medicina que está utilizando el curandero?

–El ritmo. Su medicina está en los ritmos de sus cánticos y de sus movimientos.

–¿Funciona? –pregunté. Tengo que admitir que me sentía algo más que un poco escéptico. No acababa de comprender cómo era posible que el movimiento y el ritmo pudieran curar a nadie o por qué una investigadora médica como indicaba el aparente estatus de la doctora Hilda podía pensar que aquello fuese un tema legítimo para la investigación seria.

La doctora Hilda me sonrió:

–Sí –insistió–. Uvani es un gran curandero y su danza es una magnífica medicina.

–¿Cuál es la enfermedad que está curando?

–El temor a la muerte. Está trabajando con la resistencia del hombre a la muerte. Uvani le está ayudando a realizar la transición. Conoce el camino a seguir porque él mismo ha estado allí. En su juventud, murió tras haber sido mordido por una serpiente venenosa. Pero regresó de la tierra de los muertos y ahora ayuda a otros a efectuar esa transición.

Permítaseme indicar aquí que esto ocurrió un año antes de la muerte de mi padre y estoy convencido de que fue una fuente importante de fortaleza para mí cuando me llamaron para que acudiera junto a su lecho de muerte. Cuando se me presentó Hilda y se produjo aquella extraña escena en la jungla, no lograba comprender, sin embargo, cómo se podía llamar curación al hecho de ayudar a alguien a morir. Para mí, la curación era vencer a la muerte, no cooperar con ella.

Permanecimos en el borde del claro sólo unos pocos minutos y luego la doctora Hilda dijo que era hora de regresar. Instantáneamente, fuimos transportados de regreso a su laboratorio esterilizado, con sus paredes blancas, acero inoxidable y cristal inmaculado, lo que fue un sorprendente contraste con el ambiente de la jungla en el que habíamos observado a Uvani.

Momentos más tarde, volví a cambiar mi centro de atención y me encontré de regreso en el porche del doctor Samuel, bañado por la cálida luz del sol. Al abrir los ojos y mirar a mi alrededor, nada de lo que vi me pareció, sin embargo, familiar. A pesar de saber exactamente dónde estaba, el mundo me parecía fresco, como si lo viera por primera vez. Al regresar del mundo imaginario que acababa de visitar y encontrarme repentinamente de vuelta en mi propia vida cotidiana, me sentí como si todo lo que me rodease fuese una fantasía. La realidad se había transformado en una magia de cuento de hadas en la que los colores eran demasiado brillantes y la profundidad del paisaje parecía exagerada, como si estuviese viendo una película tridimensional con gafas especiales. Los olores eran intensos y fui particularmente consciente del aroma de los eucaliptus y de las flores de los árboles frutales desperdigados por la propiedad de Samuel.

Continué experimentando con este guía espiritual y en el otoño del año siguiente recibí a otro guía. Este surgió ante mí a través de un sueño. Merece la pena comentar aquí que eso no es nada insólito. Se puede realizar, por ejemplo, el ejercicio de tratar de obtener un guía y no recibir nada en ese momento. Pero esa noche, o varias noches más tarde, aparece una figura en un sueño, cuya presencia es tan vívida que no se la puede ignorar. En cualquier caso, eso fue lo que me sucedió a mí.

Este guía se me presentó como el espíritu de un personaje famoso que llevaba muerto desde hacía casi veinte años. Había sido escritor y yo estaba algo familiarizado con su trabajo. Lo conocía como un hombre que, en la vida real, había experimentado con las ciencias ocultas. Así pues, fue natural que me acercara a sus escritos. A pesar de no haberlo conocido personalmente en la vida real, lo admiré y tuve la sensación de conocerlo de muchas maneras, tal como se podría conocer a un personaje bien descrito de una novela favorita.

Lo vi como un hombre alto y delgado, con un cabello gris que empezaba a escasear y unos penetrantes ojos azules, tan brillantes y animados que no se correspondían con su edad. Sus movimientos son un tanto torpes, lo que me hace pensar en un adolescente que no acaba de sentirse a gusto con su propio cuerpo, en pleno desarrollo. Habitualmente, me lo represento llevando una chaqueta deportiva de paño a cuadros, con una camisa deportiva de cuello abierto y pantalones de color marrón claro. Siempre tiene un aspecto arrugado y su aspecto exterior no parece haber tenido nunca gran importancia para él, ni siquiera durante su vida física.

Poco después de haber establecido contacto con esta entidad, me enteré de que su viuda vivía en Estados Unidos y, tras unas pocas averiguaciones por mi parte, pude establecer contacto con ella. Curioso por saber si ella había tenido algún contacto con él desde su muerte y con el deseo de corroborar algunas cosas relacionadas con él, le envié un libro que había escrito, acompañado por una breve nota en la que le pedía entrevistarme con ella o permiso para llamarla por teléfono.

Aproximadamente un mes más tarde, ella me llamó y hablamos del interés de su esposo por lo que ella misma llamaba «espiritismo». Compartió conmigo anécdotas sobre sus experiencias con guías espirituales e intercambiamos nuestras propias teorías y convicciones sobre esta clase de fenómenos. Ella admitió no ser una creyente tan convencida como lo fuera su esposo en vida. Nunca había experimentado el hablar con espíritus, aunque me aseguró que siempre había tratado de mantener la mente abierta al respecto. Cuando ya nos disponíamos a dar por concluida la conversación, me preguntó si escribiría acerca de estas experiencias y le contesté que por el momento no había planeado nada al respecto aunque admití que, siendo un escritor, existía ciertamente esa posibilidad. Entonces me pidió que, si lo hacía, no citara el nombre de su esposo como mi guía. Le prometí que mantendría su nombre en secreto, una promesa que he mantenido hasta el momento. Le dije que si hablaba sobre él, me referiría a él por el nombre de mi guía de la infancia, Alex. Sólo que en este caso se le conocería como Alex II. Por todo lo que sé, ambos podrían ser espíritus fusionados o completas fantasías por mi parte. Me gustó la idea de que este nuevo guía pudiera ser una versión adulta del primero.

Al comentarle más tarde a mi guía la conversación mantenida con su esposa y decirle que a partir de entonces lo llamaría Alex II, aquello le pareció bastante divertido. Se echó a reír y me dijo que, a pesar de no imaginarse a sí mismo como Alex, le parecía muy bien que lo llamase así. Después de todo, me aseguró, en el mundo del espíritu hay muy poca necesidad de emplear nombres o cualquier otro de los símbolos asociados con el mundo físico. Pero, como persona que aún disponía de mi cuerpo, no me sentiría satisfecho mientras no pudiera imaginar a mis guías con nombres, cuerpos físicos y atuendos.

Ya desde el principio, Alex me ayudó con mi escritura. Cuando deseaba obtener retroalimentación sobre algo que hubiese escrito, sólo tenía que imaginármelo sentado frente a mi mesa de despacho y allí me lo encontraba. Parecía respetar lo que yo hacía, aunque también daba la impresión de divertirse, aunque debo añadir que de una forma amable. Era evidente que había ido ya mucho más allá de los temas que a mí me interesaban, a pesar de lo cual en ningún momento me dirigió siquiera un atisbo de crítica o actitud condescendiente. Alex era y sigue siendo una entidad amable y suave, a pesar de poseer unos conocimientos de alcance increíblemente amplios sobre prácticamente cualquier tema.

Pocas semanas después de conocer a Alex, ya me había acostumbrado bastante a su presencia y había dejado de pensar en mi asociación con él como algo insólito. Recuerdo, sin embargo, que le pedí que me hablara sobre los guías espirituales. ¿Qué son? ¿Existen realmente o somos nosotros quienes los fabricamos en nuestras mentes? ¿Tienen autonomía, es decir, funcionan por separado o fuera de nuestra propia conciencia?

Alex dijo que los guías espirituales existen en nuestra conciencia como resultado de la misma facultad humana que nos permite soñar. ¿Y qué significa, en realidad, soñar?, me preguntó a modo de tanteo. Me dijo que no diera por sentado los sueños, que se trataba de algo muy diferente a lo que asumimos en la vida moderna. Añadió que la forma más fácil de pensar en los sueños consistía en considerar nuestro mundo onírico (es decir, los sueños que tenemos cuando dormimos, así como el estado en el que entramos cuando trabajamos con los guías espirituales) como una realidad paralela, que existe junto con la realidad consensuada. No se trata, por tanto, de una realidad «fabricada» o «fingida», sino de una que determina, en efecto, el curso que sigue la realidad cotidiana. De no ser por esta realidad invisible, me dijo, no podría existir la realidad física. Insistió en que nuestro fundamento está en la realidad invisible.

Alex insistió en que existe un aspecto de la conciencia humana que permite experimentar y comprender cosas a las que no tenemos acceso de las formas habituales, como la lectura, la asistencia a conferencias, el ver los programas informativos de la televisión o el haber pasado por un acontecimiento importante. Hay formas de acceder a la sabiduría y de experimentar las cosas que son diferentes a las que percibimos a través de nuestros sentidos físicos o incluso de nuestros cerebros.

Aunque todo aquello me intrigaba, no dejaba de buscar alguna clase de evidencia objetiva que me demostrara que todo aquello tenía alguna relación con mi vida cotidiana. Seguía sin poder encontrar ningún argumento válido que repudiara mi teoría original según la cual la canalización era, principalmente, un proceso creativo.

Entonces, una tarde en que me sentía muy adormilado, crucé los brazos, apoyé la cabeza sobre la mesa del despacho y me dejé arrastrar hacia un inquieto estado de somnolencia. Fui consciente de la presencia de Alex, pero eso ya no era nada insólito, puesto que frecuentemente se encontraba allí cuando me dedicaba a escribir. Al dejarme arrastrar por el sueño me imaginé transportado a un escenario escabroso junto al mar. Había un alto acantilado al borde del océano y yo caminaba por un sendero que serpenteaba en lo alto. Hacía viento y frío y me estremecía bajo un impermeable que alguien me había prestado para dar este paseo. Allá abajo, las olas azotaban las rocas, elevando en el aire enormes géyseres de rocío, a diez o quince metros de altura. Creo que se trataba de una zona situada alrededor de Big Sur, en California, al sur de Carmel.

–Hay, en conjunto, veinte principios –me dijo Alex.

–¿Principios? –le pregunté, sintiéndome desorientado, como si acabara de sintonizar el televisor en medio de un programa y no tuviera ni la menor idea de lo que estaba sucediendo–. ¿De qué principios me estás hablando?

Alex ignoró mis preguntas y siguió hablándome sobre aquellos veinte principios. Al despertar sólo recordé pequeños fragmentos del sueño: el paseo a lo largo del espectacular acantilado junto a la costa, la mención de los veinte principios y mi pregunta sobre el número. Francamente, sentí bastante curiosidad. De algún modo, el número veinte parecía ser importante, a pesar de que Alex había actuado como si no lo fuese. Pero ¿cuáles eran los principios de los que hablaba? El recuerdo que guardaba de ellos estaba compuesto en su mayor parte por impresiones.

Durante los días que siguieron establecí una larga serie de diálogos con Alex. Me describió de nuevo los veinte principios, esta vez no en un sueño sino en diálogos mantenidos en plena vigilia, de los que dejé constancia en mis diarios. Asumí el papel del alumno sentado a los pies de su maestro. En otras ocasiones, me llevó a realizar viajes interiores para demostrar los principios, como si el hecho de explicarlos no fuese suficiente.

En la actualidad, puedo decir sinceramente que esos veinte principios se han convertido en las guías clave de mi propia vida. Cada vez que acudo a ellos en busca de ayuda en mi propia vida, me resultan extremadamente útiles. Alex describió esos veinte principios como guías universales que existen para todas las personas. Según dijo, son tan antiguos como la propia humanidad y durarán mientras dure el universo.

–Ciertas cosas –me dijo– se hacen necesarias cuando el espíritu, que es infinito, adquiere una forma finita, como sucede cuando nacemos en un cuerpo físico. Dados los cerebros, las personalidades y los cuerpos, parecemos estar separados y ser autónomos. En esa forma intentamos encontrarle sentido a todo. Somos limitados, sin embargo, como para encontrar sentido con nuestros cerebros, olvidándonos de lo que somos en realidad, de que es imposible separarnos de la tierra, los unos de los otros, de nuestros amigos y enemigos ya que, al fin y al cabo, todo no es más que un pensamiento.

–¿El pensamiento de quién? –le pregunté.

–Eso es algo que no se puede contestar.

–¿No se puede o no quieres?

–¡No se puede! Tu mente, convencida erróneamente de ser un modelo de toda la creación, imagina preguntas que, simplemente, no existen y que, ciertamente, no son relevantes. Y ese es el quid de todo el problema.

–¿Qué problema?

Alex se echó reír.

–Creo que lo llamamos la condición humana. Los veinte principios que te indiqué sólo son necesarios como guías toscas para ayudar con la condición humana. Pero, te lo advierto, no son verdades. Únicamente son guías, necesarias debido a las circunstancias peculiares en las que os encontráis al adoptar esta forma física. La verdad siempre existe al margen de cualquiera de las facultades conectadas con esa forma, de modo que esto es lo mejor que podemos hacer. Vive esos principios como si fuesen ciertos, pero no insistas nunca en que lo son. Lo que aprendas de ellos te servirá bien o no te servirá en absoluto. Utilízalos únicamente mientras te sirvan.[1]

Cuento esta historia para ilustrar algunas de las formas con las que podemos trabajar con nuestros guías y aprender de ellos. Pero, todavía más importante, quisiera dejar bien claro que hay guías con los que podríamos mantener relaciones durante toda la vida. Así ha sido con Alex. Me gusta creer que el mismo guía espiritual que tengo hoy es alguien vinculado con el guía espiritual mucho más joven de mi infancia. Lo he preguntado, pero las respuestas de Alex son más enigmáticas que definitivas. Parece dar a entender que se trata de una de esas preguntas que a mi cerebro le encanta imaginar, pero que en realidad no tiene la menor importancia.

---

1. Para dejar constancia, utilicé los veinte principios que me dictó Alex en un libro titulado *Mind Jogger*, publicado por Celestial Arts, que se encuentra en cualquier librería o a través de mi página web, indicada al final de este libro.

Lo que sí puedo afirmar con seguridad es que parece existir una continuidad entre el guía anterior y Alex. Él sabe lo que ocurrió antes y mantener esa continuidad con él es importante para mí.

Considero a Alex como un maestro y consejero y su presencia en mi vida, ya sea imaginada o real, constituye una fuente de consuelo y me resulta edificante. De una forma muy real, Alex es como un puente tendido hacia esa otra realidad invisible con la que todos nosotros estamos vinculados. Y es un amigo, alguien que conoce bien mi vida, quizá incluso mejor de lo que yo mismo la conozco.

Al acercarme al final de este capítulo recuerdo una cita de Holger Kalweit, extraída de su notable libro sobre el chamanismo, *Dramtime and Inner Space* (Shambala Publications, 1988). En ese libro, describe las experiencias de una persona que ha entrado y regresado de esa realidad invisible que hemos empezado a conocer, al menos un poco, a través de nuestros guías espirituales:

> Una persona que regresó dijo: «Pareció como si, de repente, tuviera todo el conocimiento, todo lo que había empezado desde el principio mismo, todo lo que continuaría sin fin, como si por un segundo supiera todos los secretos de los eones, todo el significado del universo, las estrellas, la luna, todo.»

Basándome en mis propias experiencias con los guías espirituales, he llegado al convencimiento de al menos dos cosas: primera, que hay una realidad situada más allá de la que percibimos a través de nuestros cinco sentidos y, segunda, que los guías espirituales pueden proporcionarnos atisbos de esa realidad situada más allá de la nuestra física, y que, como un niño incordiante, exige tanto de nuestra atención. Al establecer una práctica de consulta diaria con su guía o sus guías, ese proceso se vuelve cada vez más útil y, a partir de él, surge una comprensión mucho más amplia de la realidad invisible, que constituye la base de toda la vida.

SEGUIR ADELANTE

En el capítulo siguiente el lector encontrará instrucciones para obtener un guía personal del espíritu. Léalas con atención antes de sentarse para ponerlas en práctica. Luego, siga adelante, sabiendo que, literalmente, son miles las personas que han seguido estas instrucciones con éxito, abriendo sus corazones y sus mentes a una fuente maravillosa de información y de asistencia.

Si en la actualidad estuviera trabajando con un psicoterapeuta o un psicólogo, le recomiendo que hable con él sobre el ejercicio del guía espiritual, antes de realizarlo. Comparta este libro con él o con ella. Si tuviera la sensación de que este trabajo interior pudiera interferir con su psicoterapia, considere cuidadosamente esa posibilidad antes de continuar.

CONOZCA A SUS GUÍAS ESPIRITUALES

Nuestras fronteras físicas pueden ser mucho más ilusorias que reales. Lo mismo que el proverbial espejismo de una fuente fresca y burbujeante, vista por el sediento viajero del desierto, las fronteras que percibimos entre nosotros mismos y el resto del universo pueden ser comprendidas como productos de nuestras mentes.

STANISLAV GROF
Con HAL ZINA BENNETT,
La mente holotrópica

Para entrar en este territorio, asociado con los guías espirituales, sería natural hacerlo con un cierto grado de precaución o incluso de recelo. Nuestro recelo procede de la toma de conciencia de que nos movemos en un terreno desconocido, mientras que la precaución proviene del hecho de reconocer que estamos explorando un terreno que no ha sido hollado hasta ahora. Entrar en cualquier territorio nuevo supone arriesgarse a que se produzcan cambios en nuestra vida, tanto exteriores como interiores. Las personas que no han tenido mucha experiencia trabajando con el mundo interior o con el mundo que asociamos con los ámbitos trascendental o transpersonal, verán indudablemente desafiadas sus visiones del mundo.

La mente humana, sin embargo, es muy autoprotectora y en cuanto detecta que «empezamos a creer en algo» siempre lanza señales de advertencia, en forma de temor, duda y esa pequeña voz interior que nos dice: «Esto es una estupidez, una farsa. ¿Por qué molestarse por algo que el sentido común y corriente dice que es una pura tontería?».

Es importante prestar atención a estas señales. Preguntarse qué hay tras ellas. Por ejemplo, quizá esas advertencias le están diciendo que lanzarse de lleno en este ámbito va a suponer un desafío para relaciones importantes en su vida. ¿Hay alguna persona querida que tema lo que está haciendo usted o para la que este tipo de creencias sean desagradables? ¿Hay importantes creencias religiosas o incluso científicas de las que está convencido y que se verían desafiadas si descubriese que esta otra realidad es válida y útil?

Si desea seguir adelante con su exploración de los guías espirituales, pruebe primero a contestar algunas de estas cuestiones básicas: ¿qué hay detrás de la propia resistencia o temor? ¿Qué habría que cambiar en sus relaciones o en sus propias convicciones profesionales o en su visión del mundo? No se tome estas preguntas demasiado a la ligera. Considérelas con el respeto que se merecen, pero reconozca igualmente que tiene también otras opciones que limitarse a responder al temor o a la resistencia con el retroceso y el alejamiento completo de esta experiencia.

Las opciones consisten en cuestionar la esencia misma de su resistencia, de sus dudas y temores, para luego tomar una decisión consciente acerca de seguir adelante o no. El novelista André Gide dijo en cierta ocasión: «¡No me comprenda demasiado rápidamente!». Ese siempre es un buen consejo cuando se refiere a los mensajes de sus propios mecanismos autoprotectores. Y esa es la única forma de ir más allá de sus propios prejuicios, arrogancia y supersticiones.

El ejercicio que encontrará aquí para encontrarse con su guía espiritual se inicia con una relajación profunda. Una vez que se encuentre en un estado profundamente relajado el funcionamiento de su mente será más lento y el córtex visual de su cerebro será más receptivo y activo. Es aquí, en el córtex visual, donde tendrá lugar la acción inicial del guía espiritual.

Durante los últimos años se han hecho muchas cosas y muy importantes acerca de la relajación profunda para ejercicios como este. Es la clase de ejercicio de relajación que conduce al estado meditativo. En ese estado, se ven alteradas nuestras ondas cerebrales, nos sentimos relajados, hasta el punto de desprendernos de las tensiones y preocupaciones cotidianas, de tal modo que nuestra mente pronto se queda en blanco o casi en blanco. En ese estado, disfrutamos de la sensación de no tener nada en que pensar o nada sobre lo que actuar. Durante un momento, nos desvinculamos verdaderamente de las preocupaciones del mundo.

Ese estado de profunda relajación se alcanza con relativa facilidad realizando el siguiente ejercicio, aunque es posible que necesite de una práctica repetida (de tres a seis o más intentos) antes de tener la sensación de que puede alcanzar el estado de relajación profunda a voluntad.

DESPRÉNDASE DE LAS PRECONCEPCIONES

Si nunca ha hecho hasta ahora un ejercicio de relajación o de meditación profunda, el escenario en el que se encontrará debería ser probablemente algo similar a lo siguiente: leerá el ejercicio escrito, que le parecerá bastante sencillo de realizar, casi demasiado como para tomárselo seriamente. Luego, decidirá probarlo.

Al empezar a relajarse surgirá algo en su mente que, simplemente, tendrá la sensación de que debe ocuparse de ello antes de continuar. O quizá empiece a revisar mentalmente los acontecimientos del día, o empiece a preocuparse por algo acerca de lo que de todos modos no puede hacer nada en este preciso momento. Y todo aquello que surge en la mente es realmente importante.

Reconozca plenamente los pensamientos y sensaciones que crucen por su mente. Pero, al mismo tiempo, dígase con firmeza: «No tengo que actuar ahora para ocuparme de ninguno de estos temas. Es perfectamente correcto tomarme diez o quince minutos para relajarme».

Los temas, como los niños consentidos, seguirán compitiendo por atraer su atención. En caso de que eso sucediera, esto es lo que hay que hacer:

Deténgase y tome una decisión consciente. Pregúntese si debe dejar la relajación para otro momento, levantarse y hacer lo que tiene la sensación de que debe hacer, o bien dejar eso para otro rato. Si realmente tiene la impresión de que debe ocuparse de algo ahora mismo, hágalo. Siempre podrá volver a intentar relajarse una vez que lo haya terminado de hacer. Su decisión de interrumpir la meditación y hacer alguna otra cosa es tan importante para el proceso de aprender la relajación profunda como una sesión de quince minutos sin interrupciones.

CONSEJOS FINALES PARA HACER ESTE EJERCICIO

Para obtener los mejores resultados quizá desee hacer este ejercicio con un amigo que le lea el texto, mientras usted sigue las instrucciones para relajarse. Es posible que también prefiera grabar una cinta con su propia voz y reproducir las instrucciones. Si lo hace así, lea el ejercicio ante el micrófono de la grabadora con un tono de voz monótono y con la suficiente lentitud como para poder completar cada paso del ejercicio antes de pasar al siguiente. Quizá necesite realizar algunos ensayos y corregir alguna deficiencia hasta alcanzar la velocidad adecuada para la grabación, pero siga probando hasta que pueda sentarse cómodamente, escuchar la cinta y entrar en un estado de meditación profunda escuchando su propia voz.

La alternativa consiste en grabar su voz leyéndole el ejercicio a un amigo. Observe las reacciones de su amigo mientras usted lee, haciendo que la lectura sea más lenta o acelerada cuando se encuentre con obstáculos o cuando su amigo tenga dificultades para seguir las instrucciones o dejar que el cuerpo realice el ejercicio. Una grabación efectiva de este ejercicio será aquella que se adapte a la velocidad con la que sea usted capaz de responder a cada una de las instrucciones a un nivel muscular profundo.

Algunas personas prefieren limitarse a leer el ejercicio unas pocas veces para luego sentarse cómodamente, relajarse y, simplemente, recordar cada uno de los pasos, pasando así fácilmente por las instrucciones, siguiendo su propio ritmo.

Elija el proceso que mejor le funcione.

PRIMERA PARTE: EL EJERCICIO DE RELAJACIÓN

Adopte la decisión consciente de tomarse cinco o diez minutos para relajarse. Concédase permiso a sí mismo para utilizar su tiempo de este modo. Elija un momento del día y un lugar para realizar el ejercicio en el que esté libre de todo tipo de distracciones.

- Siéntese en estado erecto, alerta, con las manos colocadas suavemente sobre la parte superior de las piernas y las palmas hacia arriba.
- Deje caer los hombros, de modo que se relajen.
- Relaje los dedos de los pies y deje que las plantas de estos entren en contacto con el suelo.

- Desabróchese y afloje cualquier prenda de ropa que le apriete.
- Abra la boca y bostece o finja que está bostezando.
- Relaje las zonas situadas alrededor de los ojos, afloje las contracciones de la frente y relaje toda la zona situada alrededor de la nariz y de la boca.
- Si en este momento surgieran ideas o sentimientos que la animaran a actuar, finja que son como un teléfono que sonara en otra habitación. Puede observar el sonido de la «llamada», pero no tiene la sensación de que haya obligación de contestar. Simplemente, centre la atención en la calidad del sonido del timbre y recuerde que los pensamientos y sentimientos verdaderamente importantes regresarán a su mente, si así lo desea, una vez que haya terminado la relajación.
- Respire profundamente. Contenga la respiración un momento. Luego, exhale lentamente el aire por la nariz.
- Sea consciente de cómo se relaja su pecho.
- Respire profundamente. Contenga la respiración un momento. Luego, exhale lentamente el aire por la nariz.
- Sea consciente de cómo se relajan los hombros y los brazos.
- Respire profundamente. Contenga la respiración un momento. Luego, exhale lentamente el aire por la nariz.
- Sea consciente de cómo se relaja su abdomen.

- Respire profundamente. Contenga la respiración un momento. Luego, exhale lentamente el aire por la nariz.
- Sea consciente de cómo se relajan su espalda y sus nalgas.
- Respire profundamente. Contenga la respiración un momento. Luego, exhale lentamente el aire por la nariz.
- Sea consciente de cómo se relajan sus piernas.
- Respire profundamente. Contenga la respiración un momento. Luego, exhale lentamente el aire por la nariz. Note las plantas de los pies, allí por donde entran en contacto con el suelo.
- Sea consciente de cómo se relajan sus pies.
- Ahora, permita que su respiración vuelva a la normalidad. Disfrute de este estado relajado.
- Simplemente, permítase a sí mismo estar en este estado relajado durante un momento, antes de continuar.

SEGUNDA PARTE: CONOZCA A SU GUÍA

Mientras se encuentra en un estado profundamente relajado, realice lo siguiente para conocer a su guía interior:

Imagine que ha salido a dar un paseo.

Quizá esté caminando por una ciudad, o un pequeño pueblo, o por el bosque, junto a una corriente, cerca de un lago o de cualquier otra masa grande de agua. Puede estar en las montañas o junto al océano.

Se siente seguro de sí mismo y confiado. Se siente físicamente cómodo y en paz consigo mismo.

Disfrute por un momento de su paseo.

Ahora, se acerca a una estructura: puede ser una casa pequeña, un gran edificio, una estructura rústica o moderna. Deténgase un momento y, simplemente, examine la estructura.

Observe su tamaño y estilo. Vea la zona que la rodea, las demás casas, los campos abiertos, etcétera.

Ahora, se acerca a la estructura. Se encuentra delante de su entrada. Llama a la puerta o anuncia de cualquier otro modo su presencia.

Escucha entonces una voz en su mente o recibe alguna otra clase de señal para que entre en el interior de la estructura. Lo hace sí, sintiéndose en todo momento seguro de sí mismo, a salvo y cómodo.

Entre y cierre la puerta tras de usted.

Mire a su alrededor. Observe lo que vea: el color de las paredes y de los suelos, si las habitaciones están iluminadas o a oscuras, los muebles que vea y cualquier adorno que le llame la atención.

En alguna parte de la casa encontrará a su guía. Ese encuentro puede tener lugar en la estancia donde está ahora mismo o en alguna otra parte en el interior de la estructura. Sabrá exactamente dónde debería estar para que se produzca el encuentro. Diríjase ahora hacia ese lugar.

Imagine que está ahora sentado en la estancia donde tendrá lugar el encuentro. Está situado frente a una puerta especial. Es una puerta corredera que se abrirá desde abajo hacia arriba.

Su guía está ahora de pie tras esa puerta, esperando para encontrarse con usted.

La puerta se desliza hacia arriba poco más de un palmo y luego se detiene. Ve usted los pies de su guía. Tómese ahora el tiempo que necesite. Observe lo que lleva el guía: ¿lleva zapatos y calcetines? ¿De qué colores y estilos son? ¿O va su guía descalzo?

La puerta se desliza hacia arriba un poco más, gradualmente, de modo que puede verlo hasta la altura de la cintura. Observe lo que lleva puesto. Es posible que ahora vea también sus manos si está de pie, con las manos a lo largo de los costados. Observe si lleva en ellas alguna joya y cómo es ésta. La puerta se desliza un poco más hacia arriba, hasta el cuello. Una vez más, observe las ropas, si las lleva, la postura, el tamaño. Fíjese en cualquier objeto de tipo personal insólito, como una bufanda, una corbata o pañuelo, un collar, un broche, objetos que sobresalgan de los bolsillos, etcétera.

Ahora, la puerta se abre por completo hasta que puede ver por primera vez la cara de su guía. Examínela tan de cerca como quiera. Examine su cabello, la frente. Mírelo a los ojos. Observe su boca y su barbilla. Deténgase a observar sus orejas y su cuello.

Ha llegado el momento de saludar a su guía. En su mente o en voz alta si así lo desea, dígale: «Hola. Me llamo... Entiendo que eres mi guía espiritual. Quisiera saber tu nombre».

Ahora, el guía se adelantará para saludarle. Quizá experimente la sensación de que le estrecha la mano, le abraza o le da un beso.

Si no obtiene respuesta de una forma inmediata, espere hasta obtener una respuesta. Ésta puede producirse en forma de voz, clara y característica, como la de alguien que habla en la estancia en la que se encuentra, o bien puede surgir en forma de un nombre que de repente brota en su mente.

Imagine ahora que usted y su guía espiritual se sientan juntos e inician una conversación. Pueden hablar de cualquier tema pero en el primer encuentro es mejor limitarse a unos pocos minutos de conversación.

Cuando tenga la sensación de que desea detenerse, dígaselo así, simplemente, a su guía interior. Dígale que se alegra de haberle conocido y que regresará para estar de nuevo con él o con ella y para conversar en cualquier otra ocasión. Estréchele la mano o procure dar por terminada la reunión con cualquier otra muestra de cordialidad.

Ahora, abandone la habitación donde se ha producido el encuentro y diríjase hacia la puerta principal del edificio. Salga.

Cuando esté preparado, respire profundamente. Abra los ojos si es que los mantenía cerrados. Bostece. Desperécese. Luego, lentamente, levántese y muévase de un lado a otro.

DESPUÉS DE HABER CONOCIDO A SU GUÍA INTERIOR

Después del encuentro con su guía interior, reflexione por un momento sobre la reunión. ¿Salió todo tal como deseaba? ¿Le pareció que este guía era alguien a quien le gustaría volver a ver y hablar en el futuro? En caso contrario, reconozca en este momento que no tiene necesidad alguna de volver a verlo. Puede regresar en una fecha posterior, realizar de nuevo el ejercicio y conseguir otro guía.

Si no está seguro de querer conservar a su guía, dedique algún tiempo a pensar en el porqué. No hay ninguna prisa. Y recuerde siempre que es usted el amo y señor de la situación en todo aquello que se refiera a su mundo interior. Quizá se encuentre con cosas que le sorprendan, pero puede retomar el control siempre que lo desee.

Si no ha conseguido ningún guía interior la primera vez, no se preocupe. Inténtelo de nuevo en otra ocasión. Es posible que su guía se le aparezca de modo totalmente inesperado dentro de uno o dos días. El guía puede aparecer incluso en un sueño.

C. G. Jung informa que estos primeros esfuerzos por establecer contacto con sus guías interiores no dejaron de provocarle recelos. En la época en que llevó a cabo sus experimentos había muy poca literatura disponible sobre el tema de conseguir guías espirituales y trabajar con ellos. No sabía si podía entrar en su mundo interior sin «ser presa de las fantasías» y sólo después de muchos años de exploración de ese mundo interior, tanto del propio como del de sus pacientes, quedó finalmente convencido de que era un territorio seguro en el que entrar. Lo siguiente describe su primera experiencia de entrada en ese mundo:

> Entonces me dejé caer. De repente, fue como si el suelo cediera literalmente bajo mis pies y caí hacia oscuras profundidades. No pude alejar de mí una sensación de pánico. Pero entonces, abruptamente y a no mucha profundidad, aterricé sobre una masa blanda y pegajosa. Experimenté un gran alivio, a pesar de hallarme totalmente rodeado por la oscuridad. Al cabo de un rato mis ojos se acostumbraron a la penumbra que era más bien como un crepúsculo profundo. Ante mí se encontraba la entrada a una oscura caverna y en ella había un enano de piel correosa, como si estuviera momificado.
>
> C. G. JUNG

Con el transcurso de los años, Jung entró en este territorio una y otra vez y durante casi una década exploró y conoció a varias figuras que encontró allí. Informa que aprendió mucho de sus viajes, sobre todo del guía interior al que diera en llamar Filemón.

La mayoría de las veces, la gente se siente feliz con los guías que consigue. Supongamos que a usted le pase lo mismo. En los días que sigan, aproveche todas las oportunidades que se le presenten para pensar en su guía, tal como haría después de haber conocido a un nuevo amigo. En el momento de hacerlo así, es posible que su presencia se le haga bastante vívida. No quiero decir con ello que lo verá aparecer en una silla a su lado, junto a la mesa, o que sentirá su presencia en la cola del supermercado, pero es posible que la perciba de un modo muy similar a lo que sucede cuando piensa en un amigo íntimo. Aproveche ese momento para compartir con su guía los pensamientos que se le ocurran. No tiene por qué expresarlos en voz alta. Hacerlo mentalmente también está bien.

Las conversaciones con su guía tampoco tienen por qué abordar siempre temas serios. Puede contarle lo que le ha sucedido a lo largo del día o de la semana e incluso compartir anécdotas y chistes. Tampoco es nada insólito ir aumentando lentamente la confianza con su guía, hablando al principio de cosas que no tengan demasiada importancia, lo que permite que ambos se vayan conociendo paso a paso, antes de confiarle a este recién conocido un problema que sea importante para usted.

¿SON INFALIBLES LOS GUÍAS INTERNOS?

Tal como sucede con las personas que tienen cuerpos físicos, los guías espirituales suelen demostrar conocimientos, transmitir consuelo y dar consejos, es decir, casi todas las cualidades que buscamos en nuestras relaciones humanas cotidianas. Y, tal como sucede en cualquier otra relación, los guías también pueden ser una fuente de conflicto, frustración y cólera.

De los guías espirituales se pueden decir las mismas cosas que de la gente de nuestros mundos externos. Las ilusiones que son capaces de tejer no son muy diferentes a las que nos hacemos nosotros mismos o que permitimos que nuestras personas amadas se hagan con nosotros. Tenemos que ver a los guías espirituales como seres tan falibles como cualquier otro ser humano que haya en nuestras vidas.

Independientemente de lo que puedan decirle en sentido contrario, tenga siempre en cuenta que sus guías espirituales son, después de todo, únicamente humanos...

ESTABLECER LA PAZ CON SUS CRÍTICOS INTERNOS

¿Sabía que cuanto más nos resistimos a algo, tanto más nos gustaría tener que ver con eso mismo? Al resistirnos a algo, proyectamos energía psíquica para mantenerlo a distancia... Dos fuerzas o energías contrapuestas se neutralizan mutuamente... De este modo, atraemos literalmente aquello mismo a lo que nos resistimos.

LINDA KEEN,
La magia de la intuición

De vez en cuando, la gente que trabaja con los guías espirituales recibirá una entidad que resulta ser bastante lo contrario de aquello que están buscando. Es posible que haga su aparición como una especie de duda incordiante, la clase de duda o escepticismo que se asocia con los juicios cotidianos sobre, por ejemplo, realizar o no una determinada compra o contratar o no un determinado servicio nuevo. Pero esas dudas pueden cobrar fuerza hasta llegar a socavar cualquier esperanza de conseguir y trabajar con un guía espiritual.

Su escepticismo o sus dudas también pueden adoptar otras formas. Es posible, por ejemplo, que guarde recuerdos muy vivos de una persona de su infancia que fue hipercrítica con usted o de alguien que siempre le amonestó para que tuviese cuidado, para que «colorease los dibujos dentro de las líneas marcadas», siguiera siempre las reglas o adoptara su misma forma de pensar. Quizá ese crítico fuese una persona que siempre le comparaba con otros, diciéndole lo mucho mejor que podía hacerlo todo y «realizar su potencial» si sólo se dedicaba a realizar un mayor esfuerzo.

Todos esos mensajes críticos tuvieron el efecto de inhibir aquello que estuviera haciendo o pensando en aquellos momentos y, en algunos casos, llegaron incluso a detenerlo de improviso. De todos modos, le impidieron seguir manteniendo el contacto con sus propias habilidades creativas e intuitivas. Aunque estas son, por una parte, capacidades muy poderosas, por otra, también pueden ser muy frágiles, particularmente cuando empezamos a descubrirlas. Recuerde que vivimos en un momento de la historia en que la ciencia y la tecnología se han convertido en conceptos fundamentales y que cualquier cosa que no sea fácil confirmar dentro de estos sistemas de pensamiento nos resulta sospechosa. Si lo que desea es desarrollar sus aspectos intuitivos y creativos, va a tener que estar dispuesta a dar el paso que la conduzca más allá de la realidad consensual.

Las espinosas expresiones de crítica y duda que describo aquí son todas «críticos internos» y nunca he conocido a nadie que no tuviera al menos a uno de ellos. Son diferentes a los guías espirituales en el sentido de que suelen ser expresiones que reflejan las experiencias de nuestra infancia. No siempre son fáciles de reconocer porque, en ocasiones, se ocultan tras máscaras de compasión o de burlón desinterés. Pueden decirle, por ejemplo: «Únicamente te lo digo por tu propio bien», o «Sólo te digo estas cosas porque te quiero mucho». Tenga en cuenta que a la mayoría de nosotros se nos ha enseñado que si algo no se puede cuantificar científicamente, no es real y no cabe la menor duda de que eso da la bienvenida a esos críticos internos.

Los críticos internos se nos presentan en tantas versiones diferentes como personas haya. Uno de los más duros es el llamado «perfeccionista». Sus maquinaciones son particularmente insidiosas. Forma aquella parte de nosotros que intenta insistir en que siempre hay una forma «correcta y adecuada» de hacer las cosas. Si no hace exactamente lo que ese crítico interno está convencido de que es lo «adecuado», se va a encontrar con problemas porque no estará siguiendo la línea marcada.

Este crítico interno también es taimado por otra razón: en el peor de los casos, le induce a mirar fuera de sí misma, a proyectar el juicio y las críticas que siente hacia algo o alguien situado en el mundo externo. Decide, por ejemplo, que no le gusta la forma en que se viste una determinada persona, o que no le gusta la forma en que se exponen las instrucciones sobre la página. Encuentra un error tipográfico en el texto (¡qué se apuesta!) o, si participa en un taller, descubre que corrige al instructor o a otros participantes y se siente con derecho a hacerlo así. Si alguien se lo hace notar, lo más probable es que afirme tener derecho a sus propias opiniones. Es usted un perfeccionista o tiene un sentido muy desarrollado de la estética o, simplemente, sabe más que ninguno de los presentes en el taller. Todo eso puede ser cierto, pero el caso es que al adoptar esa actitud defensiva se convierte en una víctima del virus perfeccionista.

Esta clase de postura crítica le priva de la alegría de la vida, no sólo a usted, sino también a todos aquellos que le rodean. Pero, lo que es más importante, la persona infectada por el virus perfeccionista siempre se revuelve contra sí misma. Después de todo, es imposible escapar al hecho de que, en último término, nosotros siempre somos las primeras víctimas de nuestro propio comportamiento.

El crítico interno que adopta el papel del perfeccionista se ve recompensado con frecuencia en la realidad cotidiana, ya que su actitud suele percibirse como una forma de «hacer las cosas correctamente». Aunque en ello hay un cierto elemento de verdad, es el discernimiento y no el perfeccionismo el que nos permite hacer bien las cosas y mantener niveles elevados de realización. Son demasiados los casos en los que el crítico interno, que insiste en la perfección, resulta tener sobre nosotros una influencia paralizante, impidiendo a la persona infectada por ese virus la realización de aquello que quisiera hacer, porque nada de lo que haga estará nunca bien hecho. En este sentido, el perfeccionismo es patológico, incluso cuando se expresa como un guía espiritual o como una voz crítica de toda la idea sobre la existencia de los guías espirituales.

Centro la atención sobre el crítico interno que adopta la forma de un perfeccionista porque es un síndrome muy común en nuestra sociedad. Y, a menudo, ese crítico interno es el más difícil de abordar porque se le ve como una virtud, se le califica como una cualidad que nos transmite una sensación de autoridad y control ante las demás personas.

El crítico interno casi siempre está acompañado por un cierto grado de incomodidad emocional o incluso de dolor, independientemente de que adopte la forma del perfeccionista o, en el caso más benigno, de la voz interior que nos indica la necesidad de tener cuidado. Después de todo, a nadie le gusta que lo critiquen o lo rebajen, especialmente por parte de otra persona a la que percibamos como más grande, poderosa o agresiva que nosotros mismos. Y cuando experimentamos esa incomodidad o dolor, sólo hay una cosa que deseamos hacer: alejarla de nosotros. Queremos escapar de la mirada reprobatoria de nuestro crítico. ¿Qué es entonces lo que solemos hacer? La respuesta más fácil y habitual es la de interrumpir la actividad que haya atraído la atención del crítico interno. Cuando resulta que esa actividad es algo que generalmente le encanta hacer, este reflejo le privará de una satisfacción personal de la que de otro modo habría podido disfrutar.

En los libros de autoayuda encontrará la descripción de numerosas formas de desarmar a sus críticos internos. Por ejemplo, un libro nos aconseja «rodear al crítico interno de una luz blanca». Otro dice: «Enviar luz y amor al crítico interno hasta que se detenga». El problema es que los críticos no se detienen. Por mucha luz y amor que dirija hacia él e interponga como amortiguador, seguirá estando ahí y, cuando menos se lo espere, se deslizará por detrás de esa capa protectora y dará a conocer su existencia de cualquier otra forma.

Tal como sucede con los seres humanos reales, resulta difícil cambiar el comportamiento de un crítico interno. Eso no quiere decir, sin embargo, que tenga que seguir siendo una víctima de sus maquinaciones, o que tenga que renunciar a sus poderes intuitivos y creativos. ¿Cuál es la alternativa? ¿Qué hacer cuando un crítico interno continúa apareciendo en su mente?

En primer lugar, considere el hecho de que su principal reacción ante la incomodidad o el dolor de un ataque por parte de un crítico interno no es otra cosa que temor. Y el temor es la más primitiva de las emociones en la experiencia humana. Cuando experimentamos temor, se pone en funcionamiento una parte específica del cerebro, llamada «reptiliana» o «cerebro antiguo». Es la parte que nos dice que debemos retirar rápidamente la mano cuando la hemos colocado inadvertidamente sobre el fuego. Y, claro está, si no contásemos con los servicios de esta parte de nuestro cerebro, probablemente no habríamos pasado de la infancia.

En la evolución humana no hemos desarrollado todavía la capacidad para discernir la diferencia entre el dolor físico y el dolor emocional, de modo que ofrecemos prácticamente la misma respuesta a ambos: nos retiramos. Pero cualquiera que haya tenido una relación amorosa sabe que incluso aquellas personas que nos aman son las que hacen más cosas que nos producen dolor. Si no afrontamos ese dolor, permitiendo que la persona querida sepa que nos hemos sentido heridos, no tenemos la menor oportunidad de encontrar una resolución a nuestro dilema. Muchas relaciones quedan destruidas no tanto por la herida original, como por la incapacidad de las dos partes para comunicarse mutuamente al respecto.

Lo que aprendemos en una relación vital es que las heridas se enconan cuando no se afrontan abiertamente y a satisfacción de las dos partes. Ese enconamiento acaba por matar la relación, crea un resentimiento y una desconfianza duraderas y en continuo aumento y, en el mejor de los casos, nos vuelve locos. Algo muy similar a lo que cura las relaciones entre los amantes puede liberarle también de las influencias negativas de sus críticos internos.

ACEPTE AQUELLO QUE TEMA

La primera vez que me hablaron de este concepto fue hace ya muchos años, cuando tuve problemas con un supervisor en la empresa de ingeniería en la que trabajaba. Un psicoterapeuta me dijo:

–Si quiere solucionar esta situación tiene que aceptar plenamente la fuente de su dolor.

–¿Se ha vuelto loco? Ese tipo me haría picadillo.

El terapeuta sonrió.

–No quiero decir que acepte literalmente a la persona, sino que acepte el temor, en lugar de intentar escapar de él. El temor sirve para un propósito o al menos eso es lo que cree su ego. Tiene que descubrir cuál es ese propósito.

A continuación, el terapeuta me puso en contacto con un momento de mi vida en el que me sentí particularmente herido por algo que mi supervisor había dicho o hecho. Eso resultó fácil. Aquella misma mañana me había criticado por algo que había hecho, dirigiéndose a mí delante de todo el equipo que yo supervisaba, por lo que me sentí muy enojado y humillado.

Luego, el terapeuta me dio instrucciones para que cerrase los ojos y me concentrara exactamente en lo que estaba sintiendo. No debía analizar lo que sucedía, ni tratar de cambiar nada, de configurarlo o darle otra forma. Simplemente, debía aceptar aquellos sentimientos, estar con ellos, conocerlos.

Al cabo de unos momentos me sentí bombardeado por una gran cantidad de imágenes procedentes de mi pasado. Recordé ocasiones en la escuela elemental en las que mis maestros me habían humillado delante de mis amigos. Cierto que yo era un soñador y que muy pocas veces me dedicaba a hacer aplicadamente los deberes, por lo que estoy seguro de que mis maestros debieron de sentirse muy impacientes conmigo. Pero al revivir aquellas experiencias sentí que se aliviaba considerablemente el peso de las críticas actuales de mi supervisor. Parte de lo que surgió en mi conciencia fue el darme cuenta de que, como persona adulta, no me hallaba en la misma posición en la que había estado durante mis años de infancia. Ahora disponía de alternativas acerca de cómo responder.

Al día siguiente, en el trabajo, tenía una reunión con el supervisor que me había ofendido. Le dije que al «meterse» conmigo delante de mi equipo había provocado más problemas de los que había solucionado. Le aseguré que mi única preocupación era conseguir que el trabajo se hiciese de la forma más rápida y eficiente posible y le pedí que abordara los errores que yo pudiera cometer de un modo menos despreciativo. La respuesta del supervisor fue seca: «Limítese a hacer bien su trabajo y ninguno de los dos tendrá ningún problema».

No era esa precisamente la clase de respuesta sensible que yo andaba buscando pero, por el momento, lo dejé pasar y ambos regresamos al trabajo. Durante los días siguientes, sin embargo, mi supervisor tuvo la oportunidad de llamarme la atención sobre tres errores que había cometido. En el pasado, eso le habría proporcionado munición más que suficiente con la que ponerme en evidencia delante de mis hombres. Pero no lo hizo así esta vez. Me indicó los errores y me pidió serenamente que los corrigiera. No fue precisamente dulce y ligero y la verdad es que tampoco había necesidad de serlo, pero la tensión no tardó en disminuir entre nosotros. Nunca llegamos a ser amigos, pero después de aquello pudimos convertirnos al menos en colaboradores productivos.

Ese mismo proceso funciona realmente con su crítico interno. Y funciona tanto si la expresión de la crítica es una vaga sensación de autoduda como si se trata de una imagen mental tan clara como la del hermano de su madrastra, que se convirtió en su peor pesadilla durante su infancia.

Si experimenta dudas o temor, cierre los ojos, respire con facilidad y suavidad y permítase a sí mismo acercarse más a esas dudas. Sea ahora paciente consigo mismo porque su reflejo condicionado será el de retirarse y alejarse del dolor. Como ya hemos dicho, lo más probable es que no desee acercarse. Su reflejo será el de escapar de la fuente de su dolor, en lugar de acercarse a ella y asumirla.

Lo que pronto descubrirá es que, a medida que se permita estar con esos sentimientos, empezará a experimentar una creciente calma y la sensación de hallarse bien fundamentado. Si su crítico interno aparece en forma de la imagen de una persona o quizá de un animal o de una figura fantástica, puede empezar incluso a divertirse un poco con él. Aquí vale la pena recordar una anécdota que me contó una mujer que asistió a uno de nuestros talleres. Su madre, que era su peor y más poderoso crítico interno, surgía en sus sueños en forma de un león rugiente.

Cuando esta mujer se entregó a asumir el dolor que sentía, recordando cómo su madre la había criticado casi por todo lo que hacía, le preguntó a aquel feroz crítico interno: «¿Por qué estás en mi vida? ¿Qué tratas de enseñarme?». En cuanto le hizo esta pregunta, el león se tumbó literalmente a sus pies y, en un instante, quedó transformado en un tímido conejo. ¡Un conejo! La mujer se dio cuenta entonces de que, durante todos aquellos años, los temores de su propia madre no habían hecho sino impulsar las acciones que emprendía respecto de su hija. Esa toma de conciencia fue muy liberadora para ella. A partir de entonces, cada vez que el crítico interno rugía como un león, la mujer podía ver al tímido conejo por detrás del rugido. En ocasiones pudo mantener incluso un diálogo imaginario con el conejo, aprendiendo así mucho más sobre su crítico interno y acerca de cómo manejarlo.

En los seminarios creativos que enseñamos, le pedimos a menudo a la gente que escriba una historia que satirice a su crítico interno. Ese mismo truco puede funcionar bien en su caso. El objetivo consiste en mantener el carácter del crítico, pero dejándolo en situaciones que lo hagan aparecer ridículo y en las que los defectos de carácter se pongan claramente de manifiesto, para que todos los vean.

Algunas de esas narraciones son escandalosamente divertidas y otras muy tristes. El resultado final, sin embargo, es que al escribir o incluso al pensar en esas pequeñas situaciones, nuestros críticos internos dejan de ser las amenazas que fueron en otros tiempos. Es un poco como afrontar los propios demonios. Hasta que uno no se haya enfrentado realmente con ellos, reconociendo su existencia, nunca se podrá llegar a un acuerdo de paz. Una vez reconocidos, descubrimos formas de liberarnos del dominio destructivo que tienen sobre nosotros. El camino que conduce a esa nueva libertad puede ser desvelado por los procesos descritos en este libro, mediante la asistencia a un taller que aborde el tema al que usted se esté enfrentando o bien trabajando con un asesor.

Cuando finalmente nos enfrentamos con nuestros críticos internos, tenemos una oportunidad de descubrir por qué los tememos y entonces comprendemos, con mucha frecuencia, que por detrás del rugido del león sólo encontramos el tímido gemido de un conejo.

VIAJE EN BUSCA DE LOS GUÍAS ESPIRITUALES

Cuantos más conocimientos adquirimos, más misterios encontramos.

ALBERT EINSTEIN

Durante los últimos años ha habido un creciente interés por las prácticas espirituales centradas en la tierra, ya sean las propias de los nativos americanos, los celtas, los pueblos africanos, siberianos o aborígenes. Ello se debe en parte a que estas antiquísimas tradiciones se basaron en conexiones profundamente personales e íntimas con el mundo natural, mientras que, en la actualidad, muchos de nosotros anhelamos esa clase de relación a la vista de los actuales estilos de vida, tan ajetreados y de ritmo tan rápido. Los pueblos antiguos le encontraban sentido a sus vidas no tanto mediante métodos analíticos, como sucede ahora, sino a través de sus habilidades intuitivas y de sus experiencias directas con el mundo del espíritu. Esas capacidades intuitivas les permitían apreciar la esencia espiritual, no sólo de los demás seres humanos, sino también de las plantas que comían, de los animales que cazaban y de las influencias que se hallaban más allá del ámbito físico, como las estrellas, la luna y la meteorología. Vivían de acuerdo con los ritmos de la naturaleza y observaban a todos los seres que les rodeaban en busca de lecciones para la vida.

Para hacerse una idea de la clase de mundo en que vivían, imagine cómo eran las cosas hace diez mil años o más. Ante la ausencia de luces eléctricas, su mundo nocturno sólo estaba iluminado por las estrellas, la luna y quizá alguna que otra hoguera de campamento o linterna improvisada. Las reservas de alimento de las que pudieran disponer eran, en el mejor de los casos, muy escasas. La mayor parte de sus alimentos se obtenían frescos y les exigían dedicarse a cazar, pescar o recoger aquello que les proporcionara su medio ambiente más inmediato. Aunque dispusieran de estructuras rústicas o cuevas en las que abrigarse de las tormentas, durante la mayor parte del tiempo tenían que adaptar sus actividades a las estaciones, que observaban muy cuidadosamente.

Los artefactos y otros registros antropológicos dejados por los pueblos antiguos revelan que se percibían a sí mismos como inseparables de la naturaleza y del espíritu, es decir, como una parte contigua a ellos. Todo lo que les rodeaba era de una sola Fuente y hasta los espacios vacíos intermedios se percibían como parte de esa creación de la que ellos mismos participaban. Imagine el planeta sin ni siquiera una sola de las tecnologías más rudimentarias hechas por el ser humano y podrá hacerse una ligera idea de cómo era posible sentirse tan interconectado con todo. Imagínese sentado bajo las estrellas, por la noche, miles de años antes de que se inventara el motor de combustión interna, sin aviones que sobrevolaran el espacio, sin el zumbido de los motores de las neveras en la cocina, sin radios atronadoras ni televisores que lanzaran las últimas noticias. El silencio, en sí mismo, era profundo, únicamente interrumpido por las llamadas de los animales o por el murmullo ocasional de la voz humana. De hecho, uno se pregunta si hace apenas unos pocos cientos de años no habría sido posible escuchar la música de las esferas celestiales y darse cuenta de cómo nuestros cuerpos respondían instintivamente a sus ritmos mientras nos dedicábamos a los quehaceres de nuestras vidas. Aquel era un mundo en el que los mensajes internos de la intuición se encontraban con muy poca o ninguna competencia.

Cierto que en aquel mundo primitivo habría sido mucho más fácil de lo que nos resulta hoy experimentar directamente las sutiles influencias espirituales que nos rodean. Habría sido abundantemente evidente que éramos los hijos de la madre Tierra y del padre Cielo. Ella nos proporcionaba el útero, el suelo para las semillas que crecerían y nos alimentarían, a nosotros y a los animales que nos proporcionarían a su vez comida y pieles con las que protegernos cuando hiciera frío. Del padre Cielo nos llegaba la lluvia y el calor del sol que permitían el crecimiento de las semillas.

Si las historias, canciones y rituales tradicionales, muchas de las cuales han llegado hasta nosotros, fueran alguna indicación de aquel tipo de vida, los guías espirituales, en una variedad de formas, habrían formado parte de las vidas de aquellas gentes, con la misma intensidad que los miembros plenamente encarnados de sus propias familias y vecinos de tribu. Había guías espirituales para aconsejar cuándo plantar el maíz, cuándo y dónde cazar, hacia dónde y cuándo trasladarse a otras zonas y qué clase de «medicina» se necesitaría para encontrar soluciones a los problemas de la vida cotidiana.

Los rituales y las danzas ofrecieron a los pueblos primitivos formas de expresar y experimentar su espiritualidad. En las danzas podían moverse como los tranquilos ritmos de un sereno prado o con la rugiente violencia de una gran tormenta eléctrica. Podían moverse como el cazador que acecha a su presa, o como el león que planta cara a los cazadores, con sus lanzas y fintas amenazadoras. Podían entrar en un espacio de profunda contemplación y, desde ese espacio, entrar en contacto con los recuerdos de antepasados que habían vivido hacía cientos de años, en un distante pasado. O sus danzas podían imitar los movimientos del parto, ayudando así a inducirlo en una madre que estaba preparada para dar a luz o educando a las mujeres jóvenes.

A estos antiguos rituales, los antropólogos los han llamado «danzas-trance», ya que, como observadores externos del mundo moderno, tales rituales pueden parecer como una especie de locura en que la mente parece brillar por su ausencia. Sin embargo, ahora sabemos, gracias a que hemos hecho nuestros deberes, hemos sido testigos de esos rituales antiguos y hasta hemos entrado en ellos con los corazones en la mano, que representan formas profundas de aprender sobre nosotros mismos, sobre nuestra vida interior y nuestras relaciones con el cosmos. Imitar los movimientos de un animal que huye, por ejemplo, o los de un puma que caza a su presa, enseña al chamán el significado del respeto y al cazador las habilidades de su actividad. Los seres humanos aprenden sus lecciones de la tierra a un nivel celular, ofreciendo una poderosa conexión espiritual que enseña respeto para toda la creación.

Cada cosa ofrecía sus lecciones individuales, tanto si la entidad espiritual tenía una forma animal, una forma humana, de planta o incluso una más tenue, como la fuerza del viento, la fuerza del relámpago o la que hacía crecer el maíz. En ocasiones, estos pueblos antiguos se hacían pequeños objetos que podían sostener en la mano, precursores de los iconos de las religiones posteriores, para honrar a sus maestros y ayudantes espirituales. Llamados a veces «fetiches», por la palabra francesa *fête*, es decir, celebración, esos objetos hacían exactamente eso: consagrar a esas entidades. Los objetos se sostenían en la mano o se utilizaban como adornos, como recordatorios constantes de los importantes papeles espirituales jugados por esos seres etéreos.

Una de las técnicas espirituales más poderosas que hemos adoptado de nuestros antiguos antepasados es lo que hemos dado en llamar «viaje». Incluso en la actualidad, se practica el viaje como una forma de establecer contacto con ayudantes espirituales. El proceso es en realidad bastante sencillo. Habitualmente, el viajero trabaja con un ayudante que mantiene un ritmo firme y sostenido con un pequeño tambor o sonajero. El sonido del tambor o del sonajero induce un cierto estado alterado de conciencia, al tiempo que mantiene al viajero consciente de la conciencia cotidiana. En ese estado ligeramente alterado de conciencia, la persona viaja fácilmente hacia el espacio de la ensoñación, donde se encuentra con su guía espiritual.

Antes de este ritual, el chamán u otro maestro, ha dado instrucciones al viajero. Habitualmente, eso supone sugerirle que imagine estar en el bosque o quizá en las montañas, o junto al mar, donde el viajero pueda encontrar alguna señal de hallarse al inicio de un camino secreto. A continuación, seguirían ese camino, observando el terreno a medida que avanzaban. En algún momento, a veces después de haber encontrado y superado ciertos peligros, se llegaría a un claro en el bosque, a una formación natural, como una roca, una cueva o un gran árbol hueco, o quizá incluso ante una estructura hecha por la mano del hombre, ante la que el viajero se detendría. Ese sería el lugar en el que se encontraría con su guía espiritual.

Después de los saludos iniciales y del intercambio de presentaciones, el viajero podría decirle al guía por qué había emprendido este viaje y cómo deseaba que el guía espiritual lo ayudara. Entonces, el guía podía conducir al viajero más lejos por el camino, introduciéndolo más profundamente en el ambiente de las montañas, de los bosques o del lugar en que se encontrara. Y, a lo largo del camino, el guía quizá le señalara ciertas cosas al viajero, o incluso le aconsejara de algún modo.

Durante todo este viaje, el que tocaba el tambor, que quizá al viajero ya le pareciese hallarse a muchos kilómetros de distancia, mantendría la producción firme y monótona del sonido del tambor o del sonajero. Eso ayuda a la persona a concentrarse en su viaje y le ayuda a señalar el punto de entrada de su viaje. Según comentó una persona: «Es como si el que toca el tambor estuviera sentado en alguna parte, al principio del sendero, enviándome una señal, para que pueda encontrar el camino de regreso».

Al iniciarse el viaje, trate de mantener un ritmo que oscile entre 150 y 200 golpes por minuto. Eso puede variar, dependiendo del ambiente y de los participantes. Por ejemplo, si hay algún ruido de fondo, como el del tráfico, o incluso voces distantes, creo que es más útil mantener el ritmo más rápido, como de unos 200 golpes por minuto o incluso ligeramente por encima. Los ritmos más lentos suelen inducir un estado mental más tranquilo en el que las distracciones externas y sutiles pueden ser desconcertantes y sacar a la persona de su especial estado mental meditativo. Y, al contrario, en un ambiente extremadamente tranquilo, como el que se encuentra en las zonas salvajes más remotas, cuando la persona o personas que participan se sienten descansadas y alertas, a menudo resulta mucho mejor trabajar con los ritmos más lentos.

La gente pregunta a menudo si se puede hacer el viaje a solas. La respuesta es que sí, aunque para ello necesitará disponer de una grabación adecuada de tambores como sonido de fondo, o un metrónomo que marque de 200 a 250 pulsaciones por minuto. Con la práctica, también podrá usted tocar el tambor o un sonajero y viajar al mismo tiempo, aunque eso supone un cierto desafío al principio.

Las mejores grabaciones de tambor que he encontrado son las vendidas por Michael Harner, destinadas específicamente para el proceso del viaje. Visite su página web, indicada al final de este capítulo, o pida la grabación por correo. Si tiene un tambor o un sonajero y una grabadora, puede grabar por sí mismo el sonido y reproducirlo durante su propio viaje.

La cinta con el sonido del tambor debe mantener el ritmo durante aproximadamente de diez a quince minutos, después de lo cual realiza una pausa, seguida por un sonido más rápido del tambor durante unos tres minutos más, llamándole de regreso a la realidad cotidiana.

PREPARATIVOS: Tome las disposiciones necesarias con un amigo que sepa tocar el tambor o el sonajero, o prepárese un metrónomo o una grabación de tambor que mantenga el ritmo, tal como se ha indicado anteriormente. Utilice la siguiente narración para preparar una visualización mental que pueda seguir una vez que haya empezado. No dependa del intérprete de tambor para leer esta narración, ya que querrá que su imaginación le transporte libremente al espacio de ensoñación. No tiene necesidad de memorizarla. Simplemente, recuerde todo lo que pueda. Sus recuerdos de la narración le inducirán a situarse en un escenario que quizá sea muy diferente a lo que sigue. En cualquier caso, confíe en lo que le indique su mente:

Al iniciarse el sonido del tambor, imagínese al principio de un sendero. Quizá sólo pueda ver treinta o cuarenta pasos del sendero que se extiende por delante. Al iniciar este viaje se le ocurrirán más y más detalles, como por ejemplo las olas, los pájaros y la madera de deriva si es que está junto al océano, la flora si está en un bosque, los acantilados en las montañas o cualquier otro escenario apropiado para su ambiente imaginado. Tómese tiempo para hacerlo así, pues cuanto más detallado sea el ambiente físico que imagine, tanto más real será su viaje.

Imagínese ahora descubriendo y siguiendo un sendero. Observe los detalles, como la elevación del sendero, lo que vea a la izquierda o a la derecha del mismo, si el sendero está o no despejado, si ha sido muy utilizado o si sólo aparece débilmente marcado. Observe el cielo que se extiende sobre su cabeza, cualquier sonido natural, la temperatura del aire y sus propios sentimientos.

Después de un cierto recorrido, llegará a un lugar de descanso en el que encontrará a su guía espiritual. Puede tratarse de un claro en el bosque, del saliente de una cueva, de un lugar de descanso en el desierto o quizá un tronco que encuentre en un lugar especial de la playa. Una vez llegado a ese lugar, instálese en él cómodamente.

Mientras espera, quizá escuche que alguien se aproxima. Posiblemente, deseará levantarse y saludar a quien haya llegado. Intercambiará saludos y presentaciones.

Luego, le dirá a su guía por qué ha emprendido este viaje y qué es lo que desea de él. Seguramente le contestará con palabras (que habitualmente le parecerán como pensamientos surgidos en su mente) o mediante algún gesto que tendrá significado para usted.

Quizá el guía le acompañe más lejos en su viaje, ampliando su conciencia, ya sea mostrándole algo, colocándolo en una situación concreta o hablándole u ofreciéndole percepciones intuitivas (que acuden a su mente de forma automática, sin palabras).

En algún momento será consciente de que ha obtenido todo aquello para lo que ha emprendido el viaje, al menos hasta este punto. Habrá llegado entonces el momento de regresar a su existencia cotidiana. Eso viene marcado por el sonido del tambor, que se hace más rápido, como si le estuviera llamando para que regrese.

Abra lentamente los ojos, mire a su alrededor, sitúese comprobando al menos tres objetos físicos en la habitación en la que se encuentre.

Quizá desee registrar ahora las experiencias que ha tenido en su diario.

MAPA DEL VIAJE

1. Elija un momento del día y un lugar en el que nada ni nadie lo moleste durante por lo menos treinta minutos.
2. Procure contar con un ayudante que se ocupe de tocar el tambor, con un metrónomo o con su propia grabación del sonido de un tambor.

3. Túmbese en el suelo, quizá con una almohada bajo la cabeza. Procure, sin embargo, no estar tan cómodo como para dormirse.
4. Cuando esté preparado, inicie el sonido del tambor y recuerde la narración preliminar del viaje. Deje que la mente lo dirija en el viaje, pero no se preocupe por seguir la narración anterior al pie de la letra. Esa narración sólo es una manifestación de intención general. Es importante permitir que la mente vaya siendo como empujada a la deriva, llevándole consigo, quizá en un viaje muy diferente al que había esperado. Ese es el verdadero valor del viaje, que le lleva a lugares de su mundo interior que quizá ni siquiera sabía que estaban ahí.
5. Cuando el tamborileo adquiera un ritmo más rápido que le llame de regreso, despídase de su guía, déle las gracias por su ayuda y su preocupación y luego dése la vuelta y regrese por el camino hasta su punto de partida. (Nota: si utiliza un metrónomo, necesitará de un despertador para indicarle cuándo se le acaba el tiempo.)
6. Abra los ojos lentamente. Observe la habitación en la que se encuentra y luego registre las impresiones que ha experimentado durante el viaje en un diario o cuaderno de notas.

DESPUÉS DEL VIAJE

Aproximadamente la mitad de las personas que realizan este viaje obtienen animales como maestros y guías.

Pero los guías espirituales, como ya sabe, pueden adoptar formas muy diferentes, desde seres humanos a rayos de luz o, simplemente, voces internas muy sutiles.

Entienda que los guías que obtenga mientras esté de viaje pueden ser empleados de acuerdo con sus deseos. No necesita pasar por el proceso del viaje para entrar en contacto con ellos. De vez en cuando, sin embargo, una sesión de viaje puede revelar muchas cosas, abrir nuevos ámbitos de la conciencia y despertar los poderes más profundos de su intuición.

Para conseguir las grabaciones de tambor de Michael Harner, entre en la página web http://www.ShamanicStudies.com, que ofrece varios CDs y casettes para viajes. El que recomiendo para el trabajo inicial es el número 5, *Shamanic Journey Double Drumming*. La última vez que visité esta página, la grabación valía menos de doce dólares.

Dirigir los pedidos por correo a:

Foundation for Shamanic Studies, P.
O. Box 1939, Mill Valley,
CA 94942. Tlfno.: 415-380-8282.

BIBLIOGRAFÍA

EAGLE, Brooke Medicine: *The Last Ghost Dance: A Guide for Earth Mages,* de , Ballantine Books.

GROF, Stanislav & Hal Zina Bennett: *The Holotropic Mind: The Three Levels of Consciousness and How They Shape Our Lives,* HarperSF.

JUNG, C. H.: *Memories, Dreams, Reflections,* Vintage Books.

KEEN, Linda: *Intuition Magic: Understanding Your Psychic Nature,* Hampton Roads.

RAMER, Andrew: *Angel Answers,* HarperSF.

RAMER, Andrew: *Revelations for a New Millenneum,* HarperSF.

ROBERTS, Jane: *The Magical Approach: Seth Speaks About the Art of Creative Living,* New World Library.

HARNER, Michael: *The Way of the Shaman,* HarperSF.

ACERCA DE LOS AUTORES

HAL es autor de más de treinta libros de éxito, de ficción y no ficción. Es un estudioso del chamanismo y de la metafísica. Está disponible para dar conferencias y seminarios. Su dirección de correo electrónico es: Halbooks@HalZinaBennett.com.

SUSAN es coautora de *Follow Your Bliss*. Es maestra y asesora en la edición de libros, especializada en proyectos de autoedición de alta calidad, habiendo participado en más de veinte proyectos. Su dirección de correo electrónico es: Write@OpeningInward.com.

http://www.OpeningInward.com
http://www.HalZinaBennett.com

ÍNDICE